o tempo
é um rio
que corre

Lya Luft
o tempo é um rio que corre

1ª edição

EDITORA RECORD
RIO DE JANEIRO • SÃO PAULO
2014

CIP-BRASIL. CATALOGAÇÃO NA FONTE
SINDICATO NACIONAL DOS EDITORES DE LIVROS, RJ

L975t
Luft, Lya, 1938-
O tempo é um rio que corre / Lya Luft. – 1ª ed. – Rio de Janeiro: Record, 2014.

ISBN 978-85-01-10201-0
1. Ensaio brasileiro. I. Título.

13-07816
CDD: 869.93
CDU: 821.134.3(81)-3

Copyright © by Lya Luft, 2014

Capa: Leonardo Iaccarino

Texto revisado segundo o novo Acordo Ortográfico da Língua Portuguesa.

Todos os direitos desta edição reservados pela
EDITORA RECORD LTDA.
Rua Argentina, 171 – Rio de Janeiro, RJ – 20921-380 – Tel.: 2585-2000.

Impresso no Brasil

ISBN 978-85-01-10201-0

Seja um leitor preferencial Record.
Cadastre-se e receba informações sobre nossos lançamentos e nossas promoções.

Atendimento e venda direta ao leitor:
mdireto@record.com.br ou (21) 2585-2002.

EDITORA AFILIADA

Para
Marco Antônio,
João Pedro e José Arthur,
Isabela, Fabiana e Fernanda,
e Rodrigo — irmão de Marco Antônio:
vocês iluminam o meu tempo.

(Para Vicente, sempre.)

*nada é banal
(a gente é que esquece)*

ROTEIRO

Apresentação

1 | *Águas mansas* 13

2 | *Maré alta* 55

3 | *A embocadura do rio* 113

Apresentação

Este livro é um irmão mais moço de O rio do meio, *e* Perdas & ganhos, *talvez pelo tom a meia-voz falando diretamente com meu leitor — sem tramas, histórias, personagens. Ele é memorialismo, ensaio, confidência — em muita coisa dúvidas. Talvez seja mais pessoal. Gosto tanto desse jeito de escrever quanto de criar minhas ficções.*

Três obsessões marcam minha obra: as relações humanas, o tempo, e a morte que confere importância à vida. Temas, frases, personagens circulam em meus livros como num bosque de fantasias. Desaparecem, emergem de novo, escondem-se em entrelinhas ou se mostram sem medo. Também aqui é assim: meu jeito de trabalhar.

Feito crianças numa ciranda, estas páginas giram em torno do Tempo — para a maioria de nós um processo do qual fugimos, que fingimos ignorar, ou consideramos um mistério inabordável. (Para muitos, resume-se ao grande susto final: de repente, tinha-se passado uma vida inteira.)

O tempo pode ser visto como um assassino em série: suas correntezas levam pessoas, esperanças, possibilidades. Mas também é um Papai Noel bondoso: quem vou encontrar naquela esquina, que horizonte depois daquela curva, que visões, que experiências, que esperanças? Indagar é um desafio permanente.

O tempo transforma, a memória preserva, a morte ao fim absorve.

(Ou devo escrever "absolve"?)

(Gramado, O Bosque, janeiro de 2014)

1 | *Águas mansas*

O tempo não existe:
eu decreto assim.
Esses vultos esquivos
são rostos, são nomes,
são as horas felizes
(são o que foi embora?).

O tempo não existe:
tudo continua aqui,
e cresce
como uma árvore
pesada de frutos que são
máscaras, palavras, promessas,
bocas ferozes.

O tempo não existe:
tudo se resume ao instante.
O antes disso
é um rio que corre
mas não passa.
(Basta chamar:
é sempre agora.)

Eu estava no auge da juventude, a caminho da maturidade: um bom casamento, filhos saudáveis, muito trabalho — mas numa profissão que me apaixonava. Levávamos a vida com dignidade e muitos projetos.

Então alguém me deu uma pequena ampulheta, que coloquei em minha escrivaninha. No começo achei interessante a areia fina que escorria marcando as horas.

Um dia me dei conta de que ela marcava a vida que foge e a morte que aguarda. Num impulso joguei a ampulheta pela janela.

A areia do tempo ficou espalhada nas pedras, rindo de mim.

●

Convoco a infância neste começo de livro. Porque a memória é a guardiã da vida.

E porque nesse reino do pensamento mágico, num mundo ainda informe, se prende a raiz do destino. É quando o tempo quase não existe: existe uma forma nebulosa de viver entre sonho e realidade, que depois quase todos perdemos.

(Exceto os artistas e os loucos.)

●

Se nos abrimos para as surpresas — como as crianças quando lhes deixamos livre a imaginação —, enxergamos, nítido ou fugidio no canto do olho, um segredo que quer ser revelado, mas não temos coragem de insistir com ele.

A liberdade das crianças nos dá medo, por isso as queremos enquadrar.

A nós, o cotidiano tanto anestesia que correndo entre as atividades diárias ignoramos o real mais real. Até que algo nos toca, pungente, bom ou sinistro: nosso olhar se desembaça, as máscaras caem, ficamos de cara exposta enfrentando tudo como se fosse pela primeira vez.

•

Eu batia pé — porque era impertinente, e porque queria algo "agora". Um dos adultos, divertido, disse:

— O *agora* nem existe!

Aborrecida, pedi a meu pai que me explicasse aquilo, e ele tentou:

— O tempo está sempre passando, é como a água de um rio, a cada instante tudo muda. Até a gente não é a mesma pessoa de um segundo atrás.

E acrescentou para eu entender melhor:

— Quando a gente começa a pensar a palavra "agora", entre o primeiro "a" e o "a" final já transcorreu um tempinho, portanto nada é a mesma coisa, e a cada momento a gente não é a mesma pessoa.

Levei dias procurando em vão empilhar as letras do "agora" para que fossem uma coisa só, num só instante. Mas não consegui enganar a esfinge que nos proporciona pequenos milagres e grandes tragédias, no duelo das ideias e das palavras ansiosas.

●

As manhãs de inverno eram geladas. À noite meu pai dizia, esfregando as mãos diante da lareira acesa:
— Esta madrugada vamos ter geada.
Nós crianças pegávamos uma bacia de vidro com água e ali colocávamos folhas, pétalas, flores inteiras — deixávamos no pátio, correndo, depressa depressa, o frio queimava a pele. De manhã antes de ir para a escola, o pequeno milagre: estava tudo conservado dentro do gelo na bacia, como os dias vividos se preservam na bacia das memórias.

●

A palavra de amor murmurada no escuro, a criança dormindo em meus braços, o trabalho bem-feito, o olhar cúmplice através da sala, a flecha de sol abrindo uma paisagem irreal, a família reunida dando risada e naquele momento todos de verdade se amando: tudo isso passa no instante em que acontece — mas está para sempre aqui comigo.

●

Um artista escocês que faz esculturas e instalações com pedras, galhos e folhas, sentado na grama diante de um riozinho, comenta que costumam comparar o tempo a um mar, com suas idas e vindas, mas que para ele o fluir da vida é o rio do crescimento e da transformação.

Fiquei encantada: pois era exatamente o que eu pensava lidando com este livro então apenas no início. Sinal da vida, dos deuses, dos enigmas? Não importa: estava consagrado esse tema, de que o tempo não vai dar no poço da não existência, mas num mar que não sabemos o que seja: lá está, e nos devora ou nos acolhe.

Cada um de nós precisa (mas ninguém nos explica isso) escrever o roteiro de sua existência dando-lhe sentido nos espaços brancos e nas entrelinhas das fatalidades e dos acasos (nos quais eu não acredito).

Cúmplices de nós mesmos nesse solitário brinquedo de existir, alternamos trabalho duro com euforia cintilante, desejo de se ocultar atrás de fantasias e o ímpeto de arrancar as máscaras e finalmente *ser*.

Aberta ao mundo como um grande ouvido
— nada entre o buscado e o buscador —,
senta-se a criança no degrau
e olha.
Ela é inteiramente o que contempla:
a pedra, a flor, o besouro vermelho no capim
e o espaço fora dessas coisas.

Não quero indagar o que ela pensa
nem a chamo para o cotidiano:
ela não vive o fluir do tempo,
mas curte o seu momento
eterno.

(Para Isabela)

No tempo sem tempo da infância, o trabalho dos relógios demarcando a vida é coisa dos adultos, é a hora imposta de fora. Nós, entre os intervalos de correrias e agitação, contemplamos.

Tudo é possível nessa fase: o tempo em curso, de que nos falam com vozes que parecem vir de tão longe, pode ser apenas uma invenção malévola dos bem-intencionados adultos para nos controlar.

Só aos poucos o dentro e fora de nós assumirá desenhos e figuras, o fluir das águas se impõe — e terá início a nossa história.

●

A minha liga-se a casas: a de meus pais, às de minhas avós, sobretudo o sobrado onde até hoje se passam tantos de meus sonhos — também os que nada têm a ver com infância. É quando tudo retorna, nítido como se fosse realmente agora: os aromas, as pessoas, eu-naquele-tempo.

Esta que hoje sou, ainda me transformando, com aflições, alegrias, fracassos e algumas conquistas, tem ali sua raiz, assim como se prendem ao fundo do tanque os aguapés que boiam na flor das águas.

●

Mas há também aquela casa que não conheci, onde nunca estive, que emerge de meu inconsciente em muitos sonhos, recorrente. Tem porões e uma espécie de subterrâneo de vários níveis, aposentos estranhos, janelas que abrem para o nada. Lá encontrei velhas desgrenhadas vestindo farrapos, ou pessoas felizes em torno da grande mesa numa cozinha. No quintal atrás brincam meus filhos pequenos, no jardim da frente procuro aflita alguma coisa que perdi entre os canteiros, e sei que não vou encontrar nunca mais.

•

A casa do pensamento mais oculto é a nossa verdadeira casa, aquela da criança no reino da imaginação, antes dos enquadramentos e dos muros convenientes.

Lá a cada dia podem-se mudar os quartos, enfeitar a sala, abrir e fechar janelas, desenhar a trilha de pedras no jardim (as areias da ampulheta rebrilham, mas eu não as entendo ainda), e abrir o portão para o que parece um campo sem beiradas.

•

Se tivéssemos consciência de que estamos em transformação, de que tudo é passageiro e pode acabar em alguns minutos — ou anos, ou décadas que seja —, não suportaríamos a pressão, não haveria espaço emocional para viver com certa normalidade.

(Ou, na ambiguidade que nos caracteriza, daríamos mais valor ao que temos?)

Por isso, a rotina e a acomodação são essenciais: delírio sim, mas às vezes. Só crianças conseguem viver nesse estado que em breve lhes será roubado para se tornarem cidadãos desinteressantes — com algumas exceções.

Névoa encostada na janela,
qualquer coisa roçando o telhado:
o medo me procurava
— talvez simplesmente o vento.

As sombras no teto, o respirar das cortinas,
estalos dos degraus, na curva de madeira
os passos de quem não vinha
ou de perdidos amores.

A velhinha no relógio
tricotando minhas horas
em cores alegres, sombrias,
insônia e pressentimento.

Longas rosas de longa paciência,
os silêncios e os prantos;
alguém arranhando a parede
— ou eram os meus terrores?

Algo sempre em movimento:
a vida arrastando as pantufas
nos corredores do tempo.

Uma de minhas avós morava num sobrado cheio de sustos. No jardim, árvores em que eu era proibida de subir, e um tanque de pedra com incansáveis peixinhos vermelhos.

Dentro da casa, aromas, armários, cortinas, paredes com desenhos, e uma larga escada de madeira em caracol.

Algumas noites eu dormia lá. Antes de adormecer contava as rosas de uma ramagem com espinhos que rodeava as paredes logo abaixo do teto, tão alto. Quem pintara aquilo, com que longa escada e que longa paciência? Quem se esgueirava pelos degraus, quem chegava àquela hora?

— Vem vindo alguém na escada...

— Não é nada. É a madeira que trabalha de noite. Casas velhas são assim. Dorme.

A menina tentava dormir, mas aquela ideia confusa a mantinha alerta: que trabalho fariam as madeiras das velhas casas quando anoitecia? Inútil pedir mais explicações, ninguém parecia interessado.

•

(Antes de lhe darmos nome tudo se chama: enigma.)

•

No meio da noite, o relógio no andar de baixo soava as batidas com uma música sincopada: alguma criatura morava nele e o mantinha funcionando na medida certíssima das nossas horas. Eu não imaginava um maquinismo, mas um ser vivo.

(Tudo, então, era assim.)

O tempo era feminino, em alemão, "Die Zeit": uma bruxa instalada em todos os relógios — daqueles que davam os quartos de hora, meia hora e hora inteira, o tique-taque vinha de suas agulhas de metal fabricando os minutos do tempo que nos restava.

Mais tarde entendi que o tempo se estendia em anos, décadas, os incalculáveis séculos: comecei a sentir um pouco mais o seu poder. Suplicando, no meu coração de criança: "Não pare, não pare, não pare o mundo, não deixe que nada acabe."

●

Depois descobri que também eu podia parar: o maquinismo do meu coração podia romper-se e eu haveria de me desmanchar como uma boneca quebrada. Desde então respeitei o Tempo que tudo leva consigo e não devolve.

Memórias e sonho porém resistem como ilhas no meio do rio.

Hesitei, em alternadas fases, entre considerar que ele destruía e suspeitar que transfigurava: como tudo o mais, um aprendizado.

(Nunca fui boa aluna.)

●

Sensações de impermanência ainda hoje: acordar na madrugada e saber que tudo está passando. A respiração de quem dorme ao meu lado vai cessar; as vozes familiares no corredor; o tumulto das emoções e o rumor da rua, tudo vai acabar.

E quando eu passar, até isso que está retido na minha memória vai deixar de existir? O mundo, com gente, casas, carros, florestas e rios, e todos os mares, será apenas a invenção de cada um para dar algum sentido a toda essa complexidade de viver?

●

Tempo de muitos medos: medo de tudo e de nada. Do Nada quando tudo tivesse acabado. Do que adivinhava ser o fim das coisas todas, dos bichos, das pessoas. A ideia de perdê-las provocava angústias que não se imagina em uma criança, quando o conceito era "criança não pensa", mote repetido pelos adultos para simplificarem a vida.

Mas eram aflições minhas, estendiam minhas horas de insônia ("criança não tem insônia!"), só se acalmando quando, perto do amanhecer, os primeiros galos começavam a cantar longe, e ruídos na rua provavam que as coisas e as pessoas continuavam ali.

O banal sempre me salvava.

Ainda existíamos, o universo inteiro e eu.

●

Naquele casarão, entrar no quarto que tinha sido de minha mãe era entrar num conto de fadas. Quando tinha tempo, a avó abria a tampa de um baú sob a janela e eu podia ver, pegar, até vestir, roupagens de crianças de antiquíssimos carnavais.

A sensação de coisas há muito guardadas, o farfalhar dos tafetás, a cócega das plumas, o oblíquo olhar das máscaras, as rendas lânguidas e repuxadas acendiam a fogueira da minha imaginação que não precisava de muito combustível para delirar. Vestindo aquelas roupas eu sentia o poder do disfarce e a multiplicidade, a riqueza, de nada nunca ser o mesmo nem ser um só. Usar uma fantasia era ser todas as possibilidades.

Não consigo descrever a excitação de remexer nesse velho baú: o tempo era um peixe de vidro de repente na minha mão. Estavam ali os momentos vividos de minha mãe menina, minhas tias mocinhas: era o estranho-íntimo, onde eu penetrava a medo.

E quando em casa lhe falei daquela descoberta, o baú, as máscaras e roupas, ela não pareceu dar muita importância. Achou graça da minha emoção, nem sabia que aquelas "velharias inúteis" ainda estavam guardadas.

•

Nessa mesma arca encontrei embrulhada em papel de seda amarelado uma trança grossa e comprida de cabelo castanho-avermelhado, lustroso como se tivesse acabado de ser lavado e seco ao sol.

Corri para a avó com aquele achado incrível:

— O que é isso, o que é isso?

— Olha só, eu até tinha esquecido.

— Mas é cabelo, isso aí, não é? De boneca?

— É a trança de sua mãe que cortei quando ela tinha uns nove, dez anos. Veja só...

A trança aparecia em algumas fotos muito antigas, a menina séria como se o peso da cabeleira que descia abaixo da cintura a incomodasse. Como ela fosse rebelde aos puxões e dores do eterno fazer e desfazer dessa cabeleira, certa ocasião a mãe irritada tinha pegado a tesoura transformando-a em poucos instantes numa menina comum com cabelos comuns. Em lugar de se entristecer, minha mãe ficara aliviada: era uma criança como seria mulher, alegre e prática, aparentemente sem complicações.

•

Eu, a quem ela não permitia ter cabelos compridos nem as tão desejadas tranças porque só lhe dariam trabalho, sentia de vez em quando sobre mim o seu olhar intrigado. Talvez estranhasse haver-me parido tão diferente dela. Aquele registro onde eu às vezes me perdia, aquele desvão pelo qual me enfiava, a aborrecia um pouco.

Ela não era de sombras, frestas ou porões: era da claridade fácil e feliz.

•

A dona daqueles cabelos lustrosos, a menina que não conheci mas me significava tanto, viveu em mim alimentada com histórias que dela me contavam: de quando não era ainda a mãe futura com a espinhosa tarefa de me educar, mas uma criança que subia em árvores, jogava bolinha de gude com os irmãos, roubava uvas da parreira e (como eu, como eu!) não gostava da escola.

E parecia um anjo num retrato, em seu vestido de quinze anos, babados de tule branco, sentada numa poltrona debaixo da árvore de Natal que ainda girava numa caixa de música quando eu era criança. Esse esboço da mulher — que depois seria minha mãe — era mais meu que dela, desinteressada daquele passado, tão passado estava já no seu presente.

Assim, por um período convivi com minha mãe pequena reinventada, com seu rosto oval e pele azeitonada, os olhos marotos e a cabeleira intemporal.

Tudo estava ali, e estaria enquanto alguém lembrasse: como retratos em esquecidos baús, que os anos e os anos não conseguiram anular.

•

O menininho brinca no tapete enquanto nós adultos rimos contando coisas da infância do pai dele e dos tios.

Ele ergue o rosto e indaga:

— Do que vocês estão falando?

— Da infância — responde alguém.

— Infância é legal?

— Muito.

— A gente não pode viajar pra lá?

Era o que estávamos fazendo.

Num país de névoa e lembrança,
minha mãe tocava piano
e a árvore de Natal brilhava
num canto da sala.
Eu cochilava no colo de meu pai:
no peito dele pulsava
a engrenagem da vida.
(Alguma coisa escura e sorrateira
fazia rumor fora da casa:
era o tempo fugindo,
e eu não sabia.)

No ritmo do rio do sangue,
a faca cortando a minha alma
era pressentir que as águas do tempo
inundariam a casa,
e seríamos um dia os rostos naufragados
de um velho retrato
numa mala.

O que tanto pensava a criança dos dias sem televisão nem computador, mas com muita fantasia? O que sentia e pressentia, o que temia ou desejava? Pensava no significado da natureza, do vento, da chuva, do silêncio das noites numa cidade pequena em que depois de certa hora tudo adormecia menos eu, menos eu? Lá fora todas as coisas conhecidas, pessoas, árvores, casas, estavam agora afogadas num vasto tinteiro, noite sem estrelas, ruazinha sem iluminação, e no inverno nem ao menos vaga-lumes.

(Era o Nada que queria me devorar.)

Pensava na dor do mundo, aquele sentimento vago que aparecia no sulco da boca de minha avó, no olhar eventualmente melancólico de meu pai, nas pequenas intrigas familiares que eu escutava sem muito entender, quando palavras viravam finos punhais fingindo ser brincadeiras.

Será que em todas as famílias era assim?

Era assim, ou muito pior, me contavam as amigas e confidentes, todas mais espertas do que eu: "Gente grande é muito complicada."

Outra relatava rumores e vozes no quarto dos pais em algumas noites, que a enchiam de medo. Outra ainda contou que os pais brigavam muito, havia gritos, tapas, choro reprimido, a mãe se refugiando no quartinho da filha.

(Enredos como tentáculos sempre me perseguiram.)

•

O mais fascinante na casa era o porão dos segredos.

Ali só se podia entrar com a chave da porta, uma chave de ferro desmesurada, sempre pendurada na cozinha num lugar que eu não alcançava.

(Por que tão alto, por que tão longe, por que tão sedutora e proibida?)

Não passava de um simples porão, muito pequeno, teto baixo obrigando os adultos a se curvarem um pouco, ao qual se chegava descendo três gastos degraus de pedra. Não devia ter nada de especial. Mas, para mim, era o maior de todos os mistérios.

Naquela penumbra cheirando a mofo em que estava tudo eternizado, o tempo era uma ilusão: uma velha espingarda que servira para caçar até sua bala arrebentar um coração humano. (Quem tinha me contado? Alguém que sabia tão mais do que eu, ou só queria me assustar?) Uma cítara de cordas partidas, ninguém mais tocava cítara, tão antigo aquilo. Uma jarra de louça rachada, quem lavou ali as mãos, ou procurou disfarçar o pranto?

As botas cambaias se encostavam na parede; junto a tachos foscos, uma mala de couro com cadernos esquecidos; um berço de madeira maciça talhado à mão parecia ainda aguardar que embalassem uma criança hoje adulta, ou velha, ou morta? Bonecas cegas ou calvas, um cavalo de madeira: crinas verdes e um grande olho espantado.

(Quem tinha dormido naquele berço, escrito naqueles cadernos, quem tinha dado risadas cavalgando aquele brinquedo?)

●

Apoiado na parede ao fundo, refletindo-nos como espectros, o espelho fendido de alto a baixo; com o canto do olho percebo um movimento que continua bruxuleando na superfície manchada. As pessoas que ali haviam se mirado, que tinham tocado aqueles objetos, escrito aquelas palavras, balançado aquele berço, continuavam enviando seus recados a uma menina cuja sensibilidade era uma floresta de antenas movendo-se em todas as direções, tateando sobre seda e grãos — e fogo e gelo.

E transformaria tudo em palavras, frases, livros com que pretenderia fixar ao menos um rastro, uma pegada, um roçar de asa de tudo isso que queria ser narrado e passado adiante para não acabar.

•

(Por isso eu digo para mim mesma que viver é possível e morrer há de ter algum sentido.
Assim invento a minha história.
Assim tem de ser.)

•

Passaram e não passaram os dias, as pessoas, as sensações. Fecho os olhos e estão vivos nos espelhos, nas cômodas em sótãos ou quartos vazios, nos livros, nas memórias.

Também as contradições espreitam por trás de pálpebras frementes.

Quem, como, onde, quando?

Não parece haver respostas.

Mas nós insistimos em inventar algumas — e isso afinal nos salva

•

O porão não era o único lugar especial da nossa casa: o portal do universo, onde a gente podia fazer todas as viagens e sonhar todos os devaneios, era a biblioteca de meu pai.

Ali, entre o aroma dos cigarros (naquele tempo se fumava), do couro das poltronas, e o cheiro dos livros que cobriam as paredes, eu entrava como num navio. Muitas horas passei abrigada no vão sob a escrivaninha imaginando que aquele era o meu castelo. Era minha casinha de brinquedos, era um jeito de ocupar espaço naquele espaço tão amado.

(Artes do tempo: quando a revi, há poucos anos, era menor do que esta em que agora escrevo.)

*Naquele tempo sem tempo
a verdade parecia estar nos livros:
ali calavam as respostas
e moravam os silêncios.*

*Quanto mais procurei,
mais me enredei
na ramagem das indagações:
as respostas não vinham,
a verdade era miragem,
a busca era melhor que a
descoberta,
e nunca se chegava.*

*(Viver era mesmo sentir
aquela fome.)*

Quando eu ficava demais inquieta e minha mãe já não sabia o que fazer (eu nem tinha tranças longas a serem cortadas por tesouras impacientes) — ou simplesmente quando queriam me agradar —, botavam-me na biblioteca depois que meu pai fechara seu expediente ou era fim de semana. Sentavam-me numa daquelas poltronas grandes como barcos. Punham em meu colo (minhas pernas balançavam muito acima do assoalho) algum volume da enciclopédia que ainda está comigo, e manuseio para sentir o antigo prazer.

O cheiro é o mesmo: de velhice e de infância, de nascimento e morte, de permanência e revelação. Cada página com figuras de cores empalidecidas — bichos, pássaros, borboletas, cidades e montanhas —, protegida por uma folha de papel de seda amarelado.

Eu contemplava — e tocava — tudo como se fosse um tesouro. Sentia com as pontas dos dedos cautelosos a penugem dos pássaros, o desenho daquelas borboletas roçava meu rosto, pinturas egípcias de perfil ingênuo e olhar rasgado desfilavam no escritório, fotografias de máquinas e montanhas e, principalmente, palavras e seus espaços de fantasia sem limites para uma menina tão pequena.

Naquele mesmo aposento um relógio marcava minutos com um tique-taque perturbador quando tudo ficava quieto à noite. Do meu quarto, do outro lado da parede, eu escutava meu pai, antes de dormir, dando corda na engrenagem, e me admirava: meu pai controlava o tempo?

E se ele não desse corda, e se o maquinismo parasse — nada nunca iria acabar?

(Hoje esse relógio está numa prateleira de meu escritório, mas eu nunca lhe dou corda. Todos os relógios de minha casa têm de ficar calados.)

•

Quando aprendi a ler, parei de atormentar os adultos para que me lessem infinitamente infinitas histórias. Achei que não havia mais nenhuma fronteira para o meu desejo — que hoje sei impossível — de encontrar a explicação da existência nossa. Nunca desaprendi a excitação quase amorosa de estar entre livros; mesmo que não haja poltronas de couro nem aroma de cigarro, e tudo esteja à disposição de um dedo meu sobre uma tecla de computador — páginas de papel ainda são a porta por onde entro com mais prazer levando minha bagagem de curiosidade.

•

O tempo, criador de ilusões: os que morreram são para nós sempre como eram — jovens, velhos, belos, feios, com suas manias e jeitos de ser que nos encantavam ou irritavam tanto. Não crescem os mortos, não envelhecem, nem se transfiguram.

E nós, mesmo quando se passaram muitos anos, nos surpreendemos sentindo, às vezes agindo, como quando tínhamos seis anos: mas eu ainda sou aquela! Não é preciso ter uma alma juvenil na maturidade ou na velhice, mas uma faísca de alegria, uma brecha para imaginação, vontade de dançar sem música.

Isso vale mais do que todos os recursos da estética, da medicina, da psicologia, das mais belas viagens, e mesmo dos mais tocantes afetos.

•

Tempo de agonia: quando eu era muito pequena, eventualmente meu pai me deixava por uns dias no sítio de amigos, a alguns quilômetros da cidade. Todos achavam interessante, divertido, ali havia pessoas boníssimas e crianças da minha idade.

Aliviava-se assim minha mãe, dedicada ao cuidado do meu irmãozinho pequeno, cansada de minhas perguntas, carências inexplicadas e incompreensíveis aflições. E atormentava-me eu, a quem qualquer separação dilacerava, e a quem só importavam as horas que tinham de passar para me levarem de volta para casa.

— Quantas noites ainda tenho de dormir? Quantas horas faltam?

Foi meu primeiro pequeno exílio em fragmentos, que até hoje me acorda no meio da noite, num sonho em que tudo aquilo se repete — e dói como da primeira vez.

•

Tempo das boas intenções com que se pensava educar uma criança: aos onze anos, porque, segundo meu pai, não tinham conseguido me disciplinar na severa escola, nem em casa eu aprendia as prendas domésticas nas quais minhas primas e amigas brilhavam, e por ser de modo geral inquieta e rebelde, me colocaram num internato onde muitas filhas de amigos estavam. Era de bom-tom, disseram, era por amor, explicaram, lá eu aprenderia tudo o que me faltava, protestaram. Era "para o meu bem". Todas as coisas dolorosas, entediantes, os castigos, as obrigações, pareciam ser para o meu bem.

(A alegria não contava muito quando se tratava de educar uma criança.)

•

O internato foi uma experiência cruel, certamente exagerada pelas minhas emoções: pois era uma ótima escola, com gente boa, dezenas de meninas, estudo, música, passeios e pátios de muitas brincadeiras. Para mim foi o abandono e a rejeição, o inexplicável castigo, muito maior do que qualquer pequeno delito que eu tivesse cometido, como discutir com a mãe, escrever com uma letra descabelada, esquecer as lições, rir na aula, nunca arrumar direito a cama.

Depois de alguns meses, porque não me adaptei e porque finalmente adoeci, meu pai me buscou e me levou de volta para casa. As poucas horas da viagem de retorno nunca se apagaram: voltamos de trem. O cheiro da fumaça, o matraquear das rodas nos trilhos, o balanço do vagão enquanto eu adormecia com a cabeça no colo de meu pai estão entre as experiências mais confortadoras que já tive. Ficou em mim, marca indelével, uma recorrente fobia de separação e afastamento: qualquer viagem de mais dias até hoje é fonte de aflições irracionais, que depois se acalmam. Porém ainda agora nem a mais espetacular experiência se compara, para a menina do internato, à sensação de chegar, abrir a porta, e estar em casa.

●

(O tempo medido em noites a dormir: quantas noites preciso dormir para virem as férias? O aniversário? O Natal? Para eu poder voltar para casa?)

●

Velhas fotos: minha mãe fez o vestido de seda, a avó a gola de renda, no cabelo botaram a fita de cetim, tudo azul-claro. Sapato preto de fivela, novinho.

(Levaram junto um livro de figuras, com medo de que eu não ficasse quieta tempo suficiente.)

Sentaram-me diante de uma paisagem de mentirinha, papelão pintado com árvores, gramado, flores.

Nada era real — portanto era tudo possível.

Examino essa criança que sorri para mim com grandes olhos confiantes. Sei que ela está escrevendo comigo estas páginas, por isso a quero compreender. Mas quando penso que a alcancei, ela vira o rosto para o outro lado e foge sem ter me dado todas as respostas. Está engaiolada numa fotografia, ignorando o fluxo da vida, com seus olhos que ainda não tinham visto nada deste mundo.

Somos, ela e eu, a mesma alma em duas.

●

o tempo é um rio que corre

E se o tempo for apenas uma invenção para coordenar nossas atividades? Pois às vezes eu me sinto ainda tão eu-mesma-de-sempre, em qualquer momento da vida sendo apenas *eu*, sem pensar muito em quem seria ela. A que por alguns momentos está plena, até o rio que corre levar tudo de roldão, atrapalhando todas as certezas.

•

O mar é o naufrágio do tempo: as mesmas ondas, os mesmos penhascos, as mesmas areias, sempre e sempre.

Aquilo me parecia incrivelmente apaziguador nas semanas de verão na praia.

— Tudo igual há cem anos?
— Não, milhões de anos.

Milhões de anos, milhões de estrelas. Meu coração, perturbado pela dor de começar a saber das coisas que passavam, se tranquilizava um pouco diante desse número.

Nem tudo ia acabar logo ali. Em algumas dimensões podia ser sempre agora? A gente pode não ser tão importante, nem nossas dores, e desejos, e alegrias, nem nossa morte: aprendi algumas coisas sobre ela naqueles verões, pois no alto de um morro, falésia sobre as ondas, havia restos de um velho cemitério abandonado, com nomes quase apagados pela erosão nas sepulturas tortas.

— Olha essa aí, morreu com a sua idade — dizia minha avó examinando uma lápide arruinada e tirando as ervas daninhas que cobriam a inscrição, ameaçando deixar aquela menina ainda mais silenciosa.

Onde estaria agora aquela criança enterrada por cima do mar, suspensa no vento?

•

A insegurança perturbadora se afirmava nas visitas ao cemitério na cidade, onde estava enterrado um irmãozinho nascido e morto antes de eu vir ao universo inteiro.

Perto da sepultura dele, um mausoléu de granito rosa: na entrada sentava-se um anjo de bronze, enorme e solene — minha avó explicava que era o guardião daquela casa das almas.

— O que é que ele faz?
— Aponta o caminho do céu para as pessoas boas.
— E as ruins?
— Essas estão perdidas.

Eu fazia o cálculo das minhas desobediências, as mentiras, as raivas secretas: o anjo podia ser benfazejo ou perquiridor demais. O anjo da guarda seria aquele mesmo? O protetor seria um tipo de espião?

Minha avó falava com naturalidade dos moradores do cemitério, cujos nomes estavam nas lápides, alguns velhos conhecidos dela. Dava indicações de sua vida, doença, morte: aquele caíra num poço, a outra se enforcara, mas a maioria parecia ter morrido a morte que lhes era devida e natural.

Eu ouvia tudo quase sem poder respirar.

Depois chegávamos junto da sepultura branca onde me esperava um pequeno anjo de mármore, rosto de menina e vestidinho, embora o bebê morto fosse menino. (Isso ninguém conseguia me explicar, mas, para ter sossego, alguém finalmente disse que todos os anjos usavam vestido.) Diziam que ele agora

o tempo é um rio que corre | 49

estava no céu, à noite era uma estrela, apontavam para mim, está vendo? Ele está ali cuidando de você.

Mas aquilo não me confortava: no fim dos tempos — e ninguém sabia explicar quando seria isso —, com ou sem um irmão desconhecido, esperava por mim um poço negro e sem fundo.

•

A Morte visitou a escola. Chegou com seu nevoeiro escuro, num gesto abatendo uma de nós no banheiro feminino.

Uma das meninas maiores tentou se matar ali, cortando os pulsos. Todo um lado do pátio ficou interditado, meninas usando banheiro dos meninos com professores vigiando, risadinhas e confusão contra o pano de fundo daquele teatro inusitado.

Lembro até hoje o belo nome dessa moça, de quem fora isso guardo uma lembrança palidíssima. Ela não morreu. Voltou à escola por pouco tempo, vagava sozinha pelo pátio, branca como um fantasma — depois desapareceu.

— Mas por que queria se matar?
— Um dos rapazes fez mal a ela.
— Como fez mal?

A outra me olhou incrédula. Tive vergonha de perguntar mais: ali estava outra vez o estranho. Em casa indaguei da mãe o que era um rapaz fazer mal a uma moça.

Ela fechou o livro que estava lendo, o dedo indicador marcando a página. Pareceu meio impaciente, ela era impaciente.

— Quem disse isso?
— Falaram na escola.
— Fazer mal é a moça ficar grávida sem estar casada.

A mãe pareceu não gostar do rumo daquela conversa. Fechou a cara, voltou a abrir o livro, ajeitou-se para continuar lendo.

Meu tempo tinha acabado, assunto errado.
Eu insistia:
— Mas ter filho é ruim?
— Quando a gente não é casada é horrível, a gente cai na boca do povo.
Aquilo, eu sabia, era ruim demais.

•

O que mais me intrigou não foi aquele "mal" não bem explicado, que naquela época ainda não me interessava muito: foi o fascínio da morte longamente preparada. Obter a lâmina, andar com ela escondida, tomar a decisão: cortar a pele primeiro, depois a carne, aquele sangue, tinham falado em muito sangue no banheiro da escola.

O fio sutil da lâmina — comentaram que a pobre havia escondido a gilete debaixo do travesseiro antes de levar para a escola — ficara à espera em noites de aflição despetalando sua incerteza: bem me quero, mal me quero.

A Morte vigiando debaixo do travesseiro, certa da sua presa, e a mocinha de olhos abertos no escuro namorando a solução para o seu mal. Ela, já adolescente, com uma liberdade que eu nem imaginava, tinha escolhido o sofrimento?

A liberdade era um sol com um furo negro no meio, a destruição possível.

•

(Dores de crescimento furam os ossos da alma.)

•

O lapso entre as falas dos adultos quando, eu sabia ou sentia, algo ali estava desconsertado: pergunta, e fração de segundo para a resposta, quem sabe pigarro, involuntária gagueira. O que se escondia, à espreita, naquela mínima fresta?

O tempo entre o grito e o soluço, entre o tapa e o choro, o tempo entre estender a mão e sentir a textura do pêssego morno apanhado no galho, ou o sabor da uva no cacho colhido na hora, no parreiral baixinho. E saber que era proibido, as transgressões da infância, começo, primeiras ousadias, de uma inocência quase patética vista agora.

O enigma, os enigmas, só raramente a consciência, não muito clara, de que o mesmo tempo que me preparava delícias ou alegrias estava levando tudo, todos, para o grande silêncio da morte de que se falava pouco, com dor ou medo na voz e no olhar.

●

O tempo de aparentemente não fazer nada: ainda hoje é quando tudo se faz em mim. Esse privilégio que a esta altura da vida de novo posso me conceder, mas na infância — quando o universo adulto predominava — era logo abalado pela voz chamando para alguma obrigação, como o tema da escola.

E eu só queria um tempo sem medidas para ficar suspensa no varal dos devaneios: que figura estava se formando naquela nuvem, que unicórnio, que princesas habitavam os morros azuis, que dedo mágico do vento fazia um traçado nas copas das árvores numa linha caprichosa, só um arco singular de folhagem se movendo?

●

Depois da infância de correrias e contemplação, outro território, outro país, outro eu: o corpo esticando, a alma mais inquieta, os deveres mais enjoados, frestas fininhas de liberdade desajeitada piscando olhos sedutores, a gente sem saber nem o que fazer. Uma primeira ideia de que a vida não é só brincadeira ou miragem mas mudanças, decisões, desafios, muros altos, portas fechadas, jardins mágicos, e lágrimas no escuro sem motivo algum.

•

Algo na lembrança se move, emerge, está vivo: aquela mulher que aparecia em nossa casa. Não tinha marido não tinha filhos não tinha seios não tinha quadris. Vestia umas saias lisas e camisas masculinas com listras ou xadrez miúdo. Nem seu nome eu sei, mas lembro isto: entro inesperadamente na sala e ela está ali sozinha — abraçada a si mesma, embala-se de leve, dança, e cantarola: *"Hasta cuando, hasta cuando."*

Não me percebe. Eu saio depressa na ponta dos pés. Não sei se acho engraçado ou se meu coração ainda infantil é ferido de uma dor que não consigo explicar.

•

Por algum tempo não somos nós mesmos, não somos nada, apenas transitamos, fluímos, os adultos nos olham com certa impaciência, bom humor (se tivermos sorte) ou compaixão: que idade essa, de não ser nem criança nem jovem, de simplesmente não ser?

Mas para a gente, esse indefinido ser é algo misterioso, sedutor, e dolorido.

•

O rio dos encontros e das despedidas. Dizer adeus a si mesmo em cada fase. De repente, somos jovens adultos. Fim para o colo de mãe, fim para as brincadeiras no pátio nas noites quentes, fim da crença em cegonha e Papai Noel. Adeus às fadas e elfos nas florestas sobre os morros azuis.

(Deles nunca desacreditei inteiramente: ainda os sinto entre as árvores do bosque onde construímos uma casinha de telhados pontiagudos como de livro de histórias.)

2 | *Maré alta*

Antes de ser eu mesma
(ou isso que penso ser),
eu jogava esconde-esconde
com meus fantasmas
— os terríveis e os gentis.

Os dias me viravam do avesso
e desviravam,
as horas me trançavam
para me desarrumar.
Quanto mais me busquei
nos espelhos secretos,
mais me perdi de mim.

Quando chegou o tempo da verdade,
entendi que sou
— num fundo porão das horas—
reflexo de reflexo
de reflexo,
nada mais.
(E que deve ser assim.)

Estamos agudamente em trânsito: a infância acabou mas a gente ainda não sabe. A maior parte das coisas sabemos em retrospectiva.

Sem que a gente entenda direito, já nos acenam os dias de ter uma vida própria, segurar o leme, decidir: o curso, a profissão, o amor (esse se decide?), a casa, os filhos, o futuro, ah! o futuro que pertence à velha feiticeira com suas agulhas loucas. Tudo o que desejamos e ao mesmo tempo tememos, como vai ser, o que terei de fazer?

Os compromissos, as dúvidas, o cansaço. A alegria algumas vezes, o inesperado êxtase, a tamanha esperança. Decidir fechar os olhos, dormir (mas quantos fantasmas, quantas memórias, quanta ansiedade).

As desordenadas falas dos adultos: "Você ainda não é gente grande, comporte-se; você já é quase adulta, leve as coisas mais a sério. Curta esta fase da vida, quando for adulta você vai ver o que é bom!"

Vamos nos alegrar, vamos nos assustar, nos encolher, nos fechar no quarto, entrar na internet e seguir esses mil chamados em que não é preciso mostrar identidade e rosto verdadeiro?

A música de fundo desse complicado espetáculo interior é ainda o murmurejar daquelas águas. A gente não o percebe no benfazejo cotidiano. Mas está ali, e nos acorda no meio da noite, nos espera naquela esquina, ou nos toca o ombro no momento da euforia e do prazer, lembrando: tudo, um dia, vai acabar.

●

Se a infância é o pátio dos sustos e dos devaneios, a juventude é o horizonte provocador que dá tontura, arrepio, fascinação. Mais medo. Época dos primeiros questionamentos e daquela doce arrogância (outra face da insegurança) com que nos fingimos de onipotentes.

No interstício, a breve adolescência, de confusos fios saindo de muitos carretéis e misturando zonas de dor ou de alegria, num bordado brilhante entremeado de tons escuros, e angústias que para os outros parecem sem sentido, mas para nós são o auge do drama.

Rebeldias saudáveis, rebeldias tolas, rebeldias inúteis, sinais de que existimos: somos pessoas, queremos nos entender, nos expandir, queremos chegar a outros lugares: que trilhas de angústia sem explicação, a que nem nomes conseguimos dar. Mas sempre queremos mais.

(Aqui e ali, labaredas de euforia que ninguém decifra: nem nós.)

●

As armadilhas, as fatalidades, o riso, o afeto, o punhal. As inquietantes descobertas que ninguém explica direito — melhor nem falar. A criança pensativa começa a preferir a balbúrdia, o adolescente finge que olhando para os lados ou tocando música bem alto não se escutarão as dúvidas e as ansiedades. Híbrido entre criança e adulto jovem, suas antenas supersensíveis se expandem e encolhem, assustadas, muitas vezes falhando na sensação, o que parece amoroso é duro, o que parece frio é cálido, mas ele nem sempre tem como saber, e a opinião dos adultos mais machuca do que ilumina.

Nem mesmo um bom pai, nem uma boa mãe (significando serem firmes e ternos, amigos mas orientadores, compreensivos mas não omissos) podem fazer grande coisa, a não ser, nessa fase tão singular, oferecer uma certeza: na hora difícil haverá um braço, um abraço, um ombro — uma escuta amorosa.

●

Nessa fase, antes de desabrochar a plena juventude, não temos vontade de escutar conselhos ou previsões: tudo nos aborrece (porque nos assusta?). O tempo, uma abstração, resumido à hora do encontro, do jogo, da prova, do medo. Estar em trânsito é a nossa essência, ninguém tem tempo para pensar no tempo.

●

Tempo contraditório, nós ambíguos: olhamos para um lado, e outro, imaginando também o que vem ao nosso encalço. Receando (ou desejando) o que vem pela frente, feito crianças largadas numa floresta escura: aquela luzinha distante é a nossa casa, ou a casa da bruxa má?

●

Ora somos reis, ora nos sentimos réus. A tribo nos acolhe, nos conforta, quebra um pouco a solidão, mas também pode nos descaracterizar, nos engolir. A gente nunca sabe direito o que fazer, então canta, então dança, então chora, então ama, então se desespera, então ri com o mesmo encantador jeito infantil de outro dia.

Ainda temos a ilusão de que não será preciso pagar todos os preços.

•

Inventei uma personagem que reproduzo aqui: eu a batizo Juventude.

Ela se diverte com o atrás da porta, o dentro da fenda, o embaixo do tapete — tudo o que me assombra e atrai. Pinta de vermelho as unhas dos pés como eu jamais ousaria fazer, e senta-se de pernas por cima do braço da poltrona — o que eu só consigo fazer em pensamento.

Pendurada na sua liberdade como num balão colorido, ela sai pela noite e ri alto, ri solta nos trajetos do vento enquanto eu quero dormir (para não pensar).

Ela me assusta, mas me impede de morrer esmagada no cotidiano dos meus deveres e dos meus amores.

Ela me sequestra para fora deste concreto deste trivial deste considerado obrigatório e normal, e assim me deixa ser, também eu adulta e já amadurecida, por alguns momentos uma feiticeira, mulher proibida.

Não sei o que fazer com essa em mim que quer se livrar da mesmice: descobrir é um de meus motivos. Me instiga me inquieta. Ela me ensinou também a rir: mais de mim mesma que dos outros, não um riso sarcástico mas um pouco complacente, de quem diz:

— Bom, afinal essa sou eu.

Ou:

— Paciência, essa é a que consigo ser.

•

"A juventude é a melhor fase da vida", dizem os que endeusam essa fase. "A infância é que é a época mais feliz", protestam os que não se livram dessa ilusão.

Juventude são também as primeiras decisões reais, mas ainda sob pressão dos adultos ou da nossa própria ansiedade; a pressão forte dos amigos, dos que cuidam de nós ou nos comandam, e (mas a gente não sabe disso) da nossa cultura.

As primeiras responsabilidades, os primeiros medos concretos, somos atropelados pela vida. Cobranças contraditórias começam: que a gente se divirta, curta essa "melhor fase da vida", mas também que seja responsável, estude, escolha, trabalhe, mostre serviço, comece a se interessar pelas coisas sérias. Ou: "Caia de cabeça nos prazeres, não se afogue em compromissos, essa é a idade de aproveitar."

E nós, para onde nos viramos nesse burburinho de desordenadas ordens?

Desse dilaceramento aos poucos emergimos como de um casulo: euforia e depressão, possibilidade e receio, o rio agora é uma corredeira de espumas entre pedras, depressa, depressa, a vida sorvida em grandes goles que quase nos sufocam.

•

o tempo é um rio que corre

"A adolescência é como um cálice de espumante borbulhando", nos dizem. "É uma fase inesquecível, pena que logo passa." Tudo isso nos dizem. Esperam que sejamos felizes nessa fase, como se lhes devêssemos isso.

●

Adolescência é aquele tumulto no meio do rio: estamos num barco frágil, numa pequena jangada, de todo lado chamam vozes e sopram ventos, qual a margem boa, qual o aceno perverso, qual o delírio permitido, como evitar que a gente vá ao fundo — que é esquecimento ou trégua?

●

Um adolescente conhecido de meus filhos se matou. Faz muitos anos, porém o fato retorna em nossas conversas ou silêncios quando se aborda o tema suicídio, sobretudo o inacreditável mas real suicídio de jovens, quase crianças.

Outro menino da turma me disse aquela vez em voz baixa, olho arregalado:

— Ontem ainda a gente jogou bola junto na escola, e ele não disse nada, a gente não notou nada. Será que eu devia ter percebido, perguntado? Quem sabe podia ter ajudado?

(Havia medo e aflição no olhar daquele menino.)

Não cabia ninguém mais nesse buraco negro da alma do amigo morto, embora na nossa ilusão uma palavra boa, um colo, um abraço, um pequeno adiamento tivessem podido ajudar.

Quem se mata espalha ao seu redor uma zona de culpa insensata: esse fica sendo seu triste legado, sua cruel vingança inconsciente.

Não notamos, não impedimos, nada fizemos, não porque não o amássemos, não nos importássemos, mas porque a gente é assim. Ou porque nada havia a ser feito, ser dito, apenas ser aceito com um rio de dúvidas e culpa pelo resto dos dias.

●

Um de meus filhos, bem jovenzinho, teve um sintoma que podia ser uma doença fatal (mas foi apenas algo muito simples). Nos dias entre esse sintoma e a constatação da sua banalidade, minha angústia foi inenarrável.

O bom médico e amigo a quem recorri me olhou com afeto e certa compaixão e disse:

— Viver é estar num campo de batalha, as metralhadoras disparando o tempo todo. Atingem desconhecidos, ou alguém bem longe, mais próximo, ou no nosso lado. Um dia os atingidos seremos nós.

Na hora me pareceu inutilmente cruel; depois percebi que era apenas realista. Mas eu não queria a realidade. E afinal a realidade aquela vez foi simplesmente benigna.

●

Finalmente o rio se alarga na idade adulta, quando se começa a pensar: e agora? Onde? Quando, quanto, o quê?

E já temos um passado.

Como amadurecer sem perder a graça, sem ficar embotado, sem sucumbir ao tédio da rotina com que nos enrolamos feito um cobertor que abafa as inquietações, as dores e os maravilhamentos? E ao nosso encalço corre o espectro traiçoeiro de acabarmos sensatos demais: temerosos, quando para viver é preciso uma dose de audácia e fervor.

Em que medida?

Ninguém tem a resposta.

●

A gente se torna (ou acha que se torna) um pouco mais senhor de si, de seus limites, e até faz algumas escolhas acertadas. Esse é um dos dons da maturidade. Com sorte e sabedoria, mais tarde poderemos descobrir que também faz parte do envelhecer.

O tempo não é mais apenas o futuro, quando vou crescer, quando vou ser independente, quando vou transar, casar, ter filhos, viajar, quando? Agora existe um passado: quando eu era criança, quando fiz vestibular, quando transei, quando me casei, quando comecei a trabalhar... e nos damos conta de que estamos no auge da juventude, a maturidade logo ali, e tantos compromissos, tanto desejo, já tanta frustração.

●

Somos adultos.

Eu em criança sempre quis ser adulta: ali ninguém mais comandaria a minha vida. Nada de deveres, críticas, cobranças e pressões. (A ilusão sorria com sua máscara de doce falsidade.)

Vamos cumprindo tarefas, conquistando algumas coisas e perdendo outras, vamos largando pedaços aqui e ali — alguns jamais se recuperam. Incomoda sentir que ainda não crescemos direito: dentro, aqui dentro, neste reino nosso onde receamos olhar, talvez se descubra a frustração das decisões não tomadas (mas que eram possíveis), das alegrias negadas (que seriam inocentes), das asas cortadas (bem que a gente queria o voo).

Empurramos mais para o fundo a incerteza quanto ao que estamos fazendo, fica aí, quieta, não me estorva, eu tenho de pegar o ônibus, chegar na hora, bater o ponto, cumprir a agenda, satisfazer o patrão, o marido, a mulher, o filho, a sociedade, é preciso é preciso é preciso. Pois agora somos responsáveis.

•

O tempo adquire uma nova dimensão quando a gente tem filhos. Nada se compara ao assombro de parir um ser humano — uma nova pessoa existindo. Tem nome, tem vida, tem futuro, tem todo um tempo impenetrável à frente. A responsabilidade, os cuidados; a impotência diante do seu destino; o amor desmesurado, que tonteia, delicado, intenso, feroz na defesa, mágico nas intuições. Criança morninha vindo para a cama de madrugada, nunca foi tão doce perder o sono; adolescente mais alto que a gente mudando de voz; menina lindíssima saindo com o primeiro namorado; e o futuro no qual não estaremos sempre aí na ilusão de que estamos protegendo.

Quanto mais dividida nesses cuidados, mais inteira fica a nossa vida.

E o tempo de despedir, de deixar que se vá para viver seu tempo, esse filho, essa filha: essa dádiva que o tempo não faz empalidecer mas perdura quando quase todo o resto se esvai.

•

Porque tudo se vai e se transforma, eventualmente nos damos conta da importância máxima das coisas mínimas. É como escutar, num segundo de vigília no meio do sono, a respiração do mar.

•

No fluxo da vida, a hora perdida: "perdi a hora" do trem, do compromisso, do pagamento, a hora de ser feliz. Esse é o tempo implacável, o sem retorno. Esquecemos a hora possível da esperança e da promessa.

E a hora do pranto?

E o tempo que nem foi perdido mas posto fora: a hora de jogar bola com o menino, de ouvir as confidências da filha, de conhecer os amigos deles, de deixar que nos mostrem suas novidades no computador, de elogiar, de dizer sim, de dizer não — de estar ali.

•

Aos poucos pesa em nosso corpo (e na alma não menos) a realidade de que o rio que empurra a vida não é miragem. Manchas, rugas, cansaço, impaciência, e sempre espiando atrás das portas, o medo: estou fora dos padrões, fora do esquadro, devo impedir isso, preciso mudar? O grande engodo da nossa cultura nos convoca: a endeusada juventude tem de ser a nossa meta.

Correr para a frente, voltados para trás.

Ou nascemos assim, querendo permanência e achando, infantilmente, que criança não sofre, adolescente não adoece, só na adultez e na maturidade, pior ainda na velhice, acontecem coisas negativas. Esquecemos a solidão, a falta de afeto, a sensação de abandono, o medo do escuro ou da frieza dos adultos, tudo o que nos atormentou nesse frágil paraíso chamado infância, ainda que ela tenha sido boa.

●

Para sobreviver, nada de pensar no movimento dos ponteiros, por sorte mal os percebemos nos relógios de pulso, e não olhamos os grandes relógios das paredes dos shoppings, dos metrôs, da vida. A gente olha para outro lado, assobia feito menino no escuro, faz dietas, plásticas, aplicações, legítimas e positivas ou desesperadas e deformantes, e toca a vida sem pensar em muita coisa além da próxima festa, a próxima viagem, o próximo encontro, a próxima aquisição.

A próxima dívida, a próxima cobrança, o próximo amor ou traição.

Pensamos, atormentados: como está minha pele, meu cabelo, barriga ou não, flacidez ou não, inadmissível viver se viver significa passar. Agora a gente quer estancar, quer se prender numa moldura impossível, se preciso queremos parar de respirar.

Pois no conceito atual, o tempo é o vampiro que suga força, beleza, potência, e nos deixará como uma casca de uva chupada, cuspida, apodrecendo no asfalto.

●

Depois, aos poucos, sem perceber, deixamos de questionar: a acomodação, adversária da vida, nos protege, mas também nos anestesia. Viver agora é cumprir deveres, correr atrás de horários, tentar crescer, tentar acertar, tentar esquecer o incômodo quebra-cabeça que somos e precisaríamos a toda hora recompor.

Tempo para refletir parece faltar sempre.

Tempo para viver falta muitas vezes.

— Eu não tenho tido nem o tempo de uma risada — me disse certa vez um jardineiro, e nunca esqueci.

Não é fácil botar a cabeça para fora da montanha de compromissos importantes ou fúteis, analisar-se, descobrir-se e tomar decisões — ainda que sejam para melhorar a vida, a nossa e a dos que convivem conosco. A ilusão pode ser mais confortável, mas a verdade é mais simples, só não sabemos que verdade é essa. Começamos a rejeitar como futilidade ou romantismo aquela premente indagação da adolescência: o que quero da vida? Procuro por isso ou faço o que exigem de mim?

•

A história de quem foi invenção ou é memória não importa. Era um peixe-voador. Quis ser uma gaivota: a fada da vida lhe daria esse presente, asas e plumas em lugar de nadadeiras e escamas... mas ele escolheu de novo afundar. Com o tempo perdeu esse breve enganoso voo de um peixe singular.

Era agora um peixinho comum.

Morreu de pequenez, de tédio, enforcou-se com sua própria escolha, num rio coagulado.

•

Mas: se não formos demasiado fúteis nem nos avaliarmos apenas pelo bolso e pelo físico, pode haver muita energia boa na maturidade. Alguns trabalhos cumpridos, ainda horizontes pela frente, sensação de que afinal podemos repensar muita coisa.

Digo e repito sempre que quando se diz "pare um pouco pra pensar", a reação é mais ou menos "parar pra pensar? nem pensar! se eu paro pra pensar, desmonto".

Já comentei isso, e aqui, como outras coisas mais, retomo: porque me agrada, porque aqui me importa.

Então a gente não pensa: segue adiante, busca, luta, desperdiça tempo e alegria, as dores são surdas e insidiosas, perdemos o prumo, o rumo, a vida se vai e agora, e agora?

Uma distração qualquer, e a mão que se estende chega tarde, o pulso já fora cortado; por um fio, por um minuto, o avião havia partido, o telefone estava fora do gancho. Foi egoísmo nosso, futilidade, aridez? Descartamos o que não faz parte do nosso mundo. Porque somos perversos?

Porque somos humanos.

(Pensar dói.)

•

Alguém disse:

— Não inventem essa de que amadurecer é bom. Eu tenho ódio do tempo passando, queria ser sempre adolescente.

— Com espinhas e tudo? — alguém provocou.

— Bom, as espinhas não. Os medos não. As primeiras menstruações doloridas, não. O medo de transar e dar errado, não.

Concluímos que toda aquela conversa era bobagem. Valia mesmo era viver e curtir as novidades que de qualquer jeito a vida traz, mesmo à nossa revelia. Pois apesar das possíveis — e necessárias — escolhas, afinal não somos os únicos senhores.

Um dia escrevi que com as perdas só há um jeito: perdê-las.
Hoje digo que com o tempo só há um jeito: vivê-lo.
Para que não fique rosnando em nossos calcanhares.

O tempo rasteja no telhado
depois de se fazerem filhos e dívidas,
e as dúvidas brotarem nas frestas.

O tempo traça bordados no rosto
e manchas na mão,
mas a gente não muda: ainda chove
no escuro e um pássaro começa a cantar.
Um amigo morre antes dos quarenta,
e nossa mãe, com quase cem, nem está
nem se ausenta.

Como tudo o mais,
o tempo não tem explicação:
corrói ou transfigura,
conforme cada um escolhe,
sofre
ou inventa.

Escondido atrás da porta, atrás do mais trivial, algo vai devorando uma existência que nunca aprendemos a administrar.

(Devo escrever: *vai transformando*, pois eu acredito nisso.)

Possivelmente nem a queríamos administrar, porque isso significaria sair da alienação protetora para o susto das decisões. Enfrentar obstáculos e exercer o tão desejado — e temido — poder sobre nós mesmos, e desafiar a correnteza.

Mas tudo o que conseguimos é, com muito jeito, espiar o baú das memórias onde tanta coisa se preserva. Na juventude nem pensamos nele. Depois nos damos conta de que erguer a tampa e espiar pode ser pura alegria.

●

Na linhagem humana, a vida vai fechando elos, aqui e ali, clipe clipe, e algum reaparece, a maior parte das vezes nem sabemos; o jeito de virar o rosto, o modo de rir, de gesticular, o formato da mão, a ansiedade ou energia, a dor inútil, a tendência para os fracassos e a busca de realização.

A bruxa tem nas mãos o novelo de fios tramando alma e imagem, e história: mais os trabalhos e a dor, a fantasia, a obstinada procura, alguma sorte, muita esperança na bagagem. Caminhões de falhas e de desacertos, sempre a renovação, difícil.

Dissabores fazem parte.

(Maior devia ser a celebração da vida.)

•

Palavras, como emoções, perfumes, barulho de chuva e vento, e algumas vozes, também preservam o tempo.

Magnólia: pétalas como cera, translúcidas, perfume entrando pelo quarto nas tardes de inverno quando fazia sol. *Sempre*: "Vou estar aqui sempre. Vou te amar sempre. Penso em você sempre." *Nunca*: "Nunca vou te esquecer, nunca vou te deixar, nunca vou te trair."

Mas o outro já está olhando para o lado.

•

O afeto pode ser maior do que o esquecimento.

Lembro de minha mãe uns passos enérgicos chegando, a voz me chamando no jardim, na sala as suas rosas com nomes secretos e um perfume igual ao dela. Legou-me o amor à vida, e algo do perfil. Não a sua beleza: essa ficou nos retratos, muitos dos quais ela mesma rasgou quando a noite da enfermidade a consumia. Morreu numa véspera de Natal, concedendo a si mesma e a nós que dela cuidávamos o último presente.

Depois de uma despedida sossegada como convinha a sua discrição e a seus noventa anos, senti-me atropelada por um trator. Pois nessas horas todas as vãs filosofias se calam, e clamam os velhos conflitos: as ocasiões em que não a visitei, em que não tive paciência, em que não fui a filha que podia ter sido, embora tenha feito o melhor que podia. (Diante de certas doenças, a gente pode quase nada.)

Mas o autorretrato é inevitável, como a autopiedade e um tom meio patético: nunca mais serei pensada como filha.

•

(Inesperadamente, na densa floresta cotidiana, essa sensação de felicidade: o riso que explode, a alma que dança, o corpo que se distende.
Por que não é sempre?
Porque são os anos de amadurecer.)

•

Avolumam-se as complicações humanas: laços amorosos como algas no fundo das águas que podem enlaçar ou enredar, algemar ou fazer dançar.

Alguém me disse:

— Não quero amar, não quero me casar, não quero ter família, não quero ter laços fortes ou profundos: assim nunca vou perder nada importante e não vou sofrer.

Não saber seria melhor do que saber? Dormir seria melhor do que viver? Não ter nada seria melhor do que tantas vezes perder? Essas águas onde pescamos dádivas e jogamos despedidas nos desafiarão até o último instante de lucidez.

E nós tentando a alegria, pois só na sombra não podemos andar. São válidas essas máscaras? Nem todas são fingimento:

algumas nos obrigam a fitar os espelhos por entre as fendas dos olhos, e nos ajudam a descobrir quem, por trás delas — ou sem elas —, ainda podemos ser. Nem sempre a gente quer saber.

Mas com sorte podemos entender que o tempo não nos aniquila: ele nos move mesmo quando nos derruba e passa por cima de nós com suas grandes patas.

•

A bruxa dos relógios lança teias entre as pessoas, que depois desfaz: o tempo dos casais que acumulam rancores e mágoas e aprendem a se odiar; o tempo dos casais que elaboram um amor terno e respeitoso — aqueles que de dois extremos de uma sala se entendem só pelo olhar; o tempo que transforma filhos pequenos em adultos com seus destinos, mesmo assim ligados a nós por afetos e cuidados; ou que se afastam, fios cruelmente cortados — e deixamos de existir para eles.

A gente nem percebia o que estava acontecendo, ou pouco pôde fazer.

•

Você escolhe o que pensa ser o melhor, a única saída possível, e ainda está aturdido quando o barco se choca com pedras do fundo do rio. Tudo dói como um soco na nuca.

Mais tarde você toma outra decisão, quer finalmente atracar num porto seguro. O porto seguro explode, você vai ao fundo dessas águas — e mais uma vez sobrevive.

•

Sofremos com alguns enganos consagrados, como: "O trabalho enobrece." O trabalho não enobrece, pode ajudar a dar sentido à vida, a sustentar uma existência digna, ou pode embrutecer. O que nos enobrece são pensamentos e atos nobres, o que é difícil.

Ou: "A dor melhora as pessoas." Não creio nisso também. O sofrimento pode, ao contrário, desestabilizar, criar mágoas e rancores, ou um escudo de frieza. O que nos torna melhores são os bons afetos.

E acrescentem-se tendências psíquicas inatas, para o bem ou para o mal, para a gentileza ou para a grosseria.

Nada é simples.

●

Cruéis convenções nos convocam: estar em forma, ser competente, ser produtivo, mostrar serviço, prover, pagar, e ainda ter tempo para ternura, cuidados, amor. O curso da existência começa a ser para muitos uma ameaça real. A sociedade é uma mãe terrível, a vida um corredor estreito, o tempo um perseguidor implacável: belos e competentes, ou belos ou competentes, atordoados entre deveres e frestas estreitas demais de liberdade ou sonho.

Nós construímos isso.

Só não previamos as corredeiras, as gargantas, os redemoinhos, a noite lá no fundo dessas águas. É quando toda a competência, a eficiência, o poder, se encolhem e ficamos nus, e sós, na nossa frágil maturidade, sob o império das perdas que começam a se apresentar sem cerimônia.

●

Tempo de perder: as despedidas sôfregas, ou a partida sem o tempo de um adeus; a alegria roubada, o amor estilhaçado, o rumo perdido, o leito de morrer, o quarto de acordar sozinha, onde estão os belos momentos, onde foram parar os projetos, onde devo me situar agora, neste tempo sem tempo?

Os anos de chumbo. O luto, os lutos, de acordar cada dia pensando: não sei como lidar com isso. Mas levantar da cama e lidar com tudo o que era preciso, tentando abafar o refrão incansável, não pode ser, não pode ser.

Avançar porque não havia outro jeito, as pessoas que me amparavam, que me amavam, incluindo meus filhos, não mereciam que eu desistisse. Além do mais, não reagir seria homenagear a velha bruxa Morte, e declarar que ela tinha vencido.

•

O tempo faz florescer paixões que fenecem logo adiante; ou transfigura um amor intenso na generosa árvore de uma longa boa relação. Mais uma vez, as contradições do tempo são as nossas: ele mata, ou eterniza, e para sempre estará conosco aquele cheiro, aquele toque, aquele vazio, aquela plenitude, aquele segredo.

•

Risos podem se tornar escassos na hora das trevas, e ela sempre chega: morte, doença, abandono, separação, fantasmas nossos, sem rosto nem nome. Pode ser aos dez anos, aos cinquenta, aos oitenta. Quando abrem nosso peito e nos arrancam o coração, e a alma envelhece décadas em um instante. Viramos memória dolorida do que um dia fomos.

A gente resiste, se pode.
Segue em frente, do jeito que pode.
A gente vence.
A gente aceita.
Ou finge.
(Máscaras muito usadas se tornam a pele do nosso rosto.)

•

Em qualquer fase da vida surgem enseadas tranquilas e águas que parecem voz de mãe. Como na natureza: inesperadamente, no meio do banal cotidiano, a alegria inexplicada, as coisas que dão certo. O novo emprego, o amor que floresce, o filho que sorri, a saúde recuperada, as contas liquidadas, a vida possível.

Cicatrizes de velhas esperanças.

— O tempo traz soluções que a gente nem imaginava — me disse alguém sábio.

E não é que ele tinha razão?

*Depois de perder quase tudo,
descobri que a dor
não era maior que o sonho.*

*Quando esqueci o caminho,
vi que meu passo trilhava
o lado errado.*

*Quando só o meu rosto
sobrava em cada espelho
(e nada do lado de cá),
juntei desalento e desejo
e me reinventei
com cuidado.*

*(Agora pareço comigo
antes do horizonte ser
cancelado.)*

Ao impacto de uma primeira morte dramática que me cortaria em dois, descobrir que a vida ainda era possível seria um longo, duro aprendizado.

Fechei a janela para que o sol não entrasse e me permiti nadar no mar da dor.

Nessa fase nada aprendi, em nada melhorei, nada fiz senão me esconder para me proteger, até não aguentar mais aquele exílio.

Parecia impossível que um dia a claridade lá de fora começaria a entrar, devagarinho.

•

Não muito depois, outro redemoinho traidor engoliu quase tudo que se estava reconstruindo: uma doença longa, uma invalidez que fechava o doente numa redoma de silêncio com um olhar sem respostas.

Do fundo do que parecia tão vazio, mais uma vez a força para agir, decidir, cuidar, e manter a possível claridade na casa. Fugir não era permitido.

Novamente o tempo medido em noites, como o alcoólatra mede em 24 horas mais um dia de sobriedade. Quantas noites faltam para que o amado desperte, a dor diminua, esse inferno acabe, quantas noites ainda preciso suportar?

Como aprender a lidar com isso que eu desconhecia, e para o que não me sentia capaz?

— Ninguém é capaz — me explicaram. — A gente aprende a cada hora.

•

Quando a morte destroça o amor é que a gente avalia a importância das verdadeiras amizades.

•

No começo somos doentes numa UTI de hospital. Um dia conseguimos sentar na cama, tiram todos os fios e desligam os aparelhos, e nos levam para um quarto. Depois, espiar o corredor. Sair do hospital e voltar à luz do cotidiano: então tudo ainda existe.

E aos poucos tudo se reconstrói, a gente cata as pecinhas infinitas desse quebra-cabeça difícil e vai remontando tudo: as casas, cidades, cavalos, trens, árvores, um avião, uma flor. A própria imagem, a casa, o jeito de andar, a sombra que a gente lançava.

Sem que fosse uma decisão consciente, passei a dormir com as portas da varanda de meu quarto abertas: as nuances no céu, as luzes das casas, e os sons da rua sobretudo ao amanhecer, me provavam — como na infância de insônias — que tudo ainda existia.

Que eu podia existir.

Que, estranhamente, havia vida.

•

Porque o tempo passa é que tudo se torna tão precioso. Porque estamos sempre nos despedindo — dessa luz, dessa paisagem, dessa rua, desse rosto, desse momento, e de nós mesmos nesse momento —, tudo assume uma extraordinária importância. Não é coisa para sentirmos constantemente, mas nas horas em que a alma se expande saímos do fútil para o singular — e vemos como somos especiais.

•

O incansável mecanismo do cotidiano também é inimigo da dor.

Aí pensamos que ela está mais suportável. Mas um movimento inesperado, um som, uma palavra, um cheiro, um objeto desintegra outra vez o que parecia se reestruturar.

É processo complexo que varia em cada pessoa, em cada circunstância. Seja como for, de tropeço em tropeço, de agonia em agonia, retomamos o prumo. Pois mesmo quando de um lado a morte nos abraça, do outro a vida nos chama.

•

Um dos maiores elogios que recebi anos depois como pessoa foi quando uma de minhas crianças comentou:

— Você é a pessoa mais divertida que conheço, é a única avó que sai para comprar uma fruta e volta com um cachorrinho. Tem avós que só mandam a gente ficar quieta, comer direito, não fazer barulho. Ou nem conversam com a gente.

Se sou divertida não sei, mas gosto que minhas crianças me vejam, não como a chata que se queixa, reclama e cobra, mas aquela que de verdade foi comprar a fruta que o marido mais gosta, andava de novo pensando num *pug*, e entrou na loja de animais quase ao lado do mercado.

Pensei nisso também quando meu neto mais velho perguntou se podia trazer a nova namorada para almoçar comigo. Essa naturalidade mostrava que ele confiava em mim, não como uma inspetora exigente que devia dar o seu aval, mas como a dona de uma casa acolhedora e um abraço amoroso. Ponto pra mim naquela hora.

Ponto para cada um de nós quando as pessoas ainda nos querem bem com naturalidade, dividem nossas alegrias e tristezas e as delas, gostam de nos ver, não se assustam com eventuais rugas e fragilidades, e também não nos cumulam de cuidados excessivos e prematuros. Até amor e cuidado em demasia fazem sofrer. O que a gente realmente quer é poder cuidar em sossego das nossas plantas num jardim ou num vaso, bons livros para ler, bons filmes para saborear, música para curtir, companhias para abraçar, belas memórias para nos acompanhar, não importa. O aprendizado de uma boa solidão que não é isolamento.

E tudo isso se constrói durante a maturidade, que vai desembocar na velhice, cujo nome não é preciso disfarçar com metáforas e rodeios tolos, que acabam tornando "velho, velhice", uma espécie de condenação — numa conspiração de tolos.

•

É cruel nosso esforço em iludir o tempo, em deter a vida, em não ser quem podemos ser a cada fase, numa mentira que sacrifica muito entusiasmo, muita alegria, doçura, interesse, experiência e esperança.

Somos como nadadores em braçadas inúteis contra as águas que se vão, com tão pouca inteligência, treinados para serem um sucesso, mas não para serem felizes.

Queremos ter quarenta anos aos setenta, tão patético quanto querer ter vinte aos quarenta... como se nos tivessem fixado na idade que achamos ideal. Que idade será essa? A infância é para alguns a fase mais feliz; para outros, foi a juventude. A cada momento o seu tipo de felicidade, que é uma harmonia possível consigo e tudo mais.

Armadilhas de uma cultura da futilidade: podendo viver mais, queremos permanecer na juventude como num tanque de formol, porque uma ideologia tola nos diz que só ali estão as possibilidades todas.

E nós seguimos a manada: vamos ignorar as coisas interessantes que o mundo nos oferece em qualquer fase, vamos desperdiçar a vida agarrados a um ideal impossível, talvez grotesco. Em lugar de um semblante, uma máscara onde só a boca se move um pouco, e as pálpebras abrem e fecham.

Estaremos felizes ou apenas mais desesperados?

Em lugar de corrigir, desfigurar: estaremos mais belos ou irreconhecíveis?

Em vez de curtir as novas formas de liberdade que o passar do tempo concede, vamos nos aprisionar no terror?

Isso pode fazer a cultura do aqui, do agora, do nada.

"O tempo?", disse um personagem meu: "precisamos fazer dele nosso animal de estimação, ou ele nos devora."

•

(Amadurecer devia ser refinar-se.)

•

Em certos trechos dessa viagem, deixar-se levar não é resignação, mas uma pequena sabedoria: difícil, numa cultura do *agora* absoluto, do imediato prazer, da juventude permanente, da glória e do poder que, em nossa ilusão, pensamos ter de conseguir ou não valeremos a pena.

É possível desafiar os conceitos que imperam, desatar fios que nos enredam, limpar o pó desse uniforme de prisioneiros, deixar de lado as falas decoradas, a tirania do que temos de ser ou fazer. Pronunciar a nossa própria alforria: vai ser livre, vai ser você mesmo, vai tentar ser feliz, seja lá o que isso for.

Então podemos murmurar, gritar, cantar. Podemos até dançar. Não há marcações nem roteiro, mas a inquietante possibilidade de optar: estou embarcada, cada minuto vale, aqui e ali posso escutar o vento nas margens, observo as garças que parecem sempre meditar, sombras que dançam entre as árvores, e dentro dos limites ser eu mesma ainda que embarcada.

E assim vão-se abrir as portas: algumas não se abrem apenas sobre salas de papelão pintado ou aposentos com alçapões, mas sobre pátios, portões e caminhos reais.

Correndo pela floresta das fatalidades e azares, encontramos clareiras de construir, de escolher, de fazer. De se renovar, não importa a cifra que indica nossa idade.

•

Não é preciso decidir segundo leis da sociedade ou críticas alheias, nem, a essa altura, fazer o impossível para ser aceito na tribo, como na adolescência: descobrir o que se quer é essencial. É raro. E, como afirmou um personagem meu, quando alguém resolve não pagar mais o altíssimo tributo da acomodação, mas construir sua história além dos ditames e dos preconceitos, está pela primeira vez para si mesmo dizendo *sim*.

Dizendo: eu sou esse, não outro; meu jeito é assim, essa é a minha voz, isso eu quero, não o que os outros esperam de mim. E, se não faço mal a ninguém, eu vou por esse caminho.

Aprendemos eventualmente a gostar de nós. Gente demais se subestima, se desvaloriza, aceita qualquer vida, qualquer pessoa, qualquer roteiro.

Conseguimos até ficar sozinhos nessa pequena liberdade: a de que o tempo é um fato natural, é crescimento e mudança permanente. Que ele não só nega e rouba com uma das mãos, mas, com a outra mão, oferece.

Quando pensei que estava tudo cumprido,
havia outra surpresa: mais uma curva
do rio, mais riso,
mais pranto.

Quando calculei que tudo estava pago,
anunciaram-se novas dívidas e juros,
o amor e o desafio.

Quando achei que estava serena,
os caminhos se espalmaram
como dedos de espanto

em cortinas aflitas. E eu espio,
ainda que o olhar seja grande
e a fresta pequena.

Num desses acasos em que não acredito, encontrei este que há tantos anos é meu companheiro. Duas vezes viúva, eu nem pensava numa nova relação, embora meus filhos comentassem:

— Mãe, você devia se casar de novo, anda muito quieta em casa, você ainda tem muitos anos pela frente para ser feliz.

Na verdade eu não estava triste nem infeliz, apenas recolhida na minha zona de conforto, a minha casa, os meus amigos. E, se felicidade é harmonia consigo mesma e o mundo, eu estava feliz depois de anos difíceis. Além do mais, sempre gostei de estar tranquila, até meu trabalho se faz em casa.

Porém, por artes do destino ou porque apesar de não saber eu estivesse aberta para algo positivo, encontrei quem seria meu parceiro para o resto da vida.

●

(Todo encontro especial é uma primeira vez.)

●

Delícias nascidas do preconceito:

Estávamos os dois no vestíbulo de minha casa, e minha netinha então de sete anos estava por ali com uma amiga da mesma idade.

A menina perguntou:

— Quem é aquele homem de barba branca conversando com sua avó?

— É o namorado dela — respondeu minha neta tranquilamente.

A reação imediata da outra foi deliciosa:

— Você está louca? Avó não namora!

Isso me foi contado logo depois, e nos divertimos muito. Mas foi um exemplo de que, embora tornando a juventude um ídolo, somos marcados pelo preconceito: avós não namoram, não viajam, mas fazem bolo, usam cabelo branco preso no alto da cabeça e óculos na ponta do nariz. Vejam os desenhos, figuras de livros infantis. Por incrível que pareça, no século que afirmamos ser o da libertação, quando essa figura devia parecer uma caricatura, lá no fundo ela ainda nos acena. Velhos conceitos tortos ainda nos limitam, e o coração é pequeno demais para aceitar que há possibilidades de crescer — em qualquer tempo.

•

No vasto folclore sobre a passagem do tempo, há muitas historinhas.

A moça corria entusiasticamente beirando os jardins das casas, e num deles uma mulher já bem idosa estava curvada cuidando de suas plantas.

A mocinha passou, e ainda correndo disse para a velhinha, sorrindo:

— Ah, como eu queria ter a sua idade para não precisar correr para manter a forma!

A mulher se ergueu, olhou para ela, riu e disse:

— E como eu gosto de ter a minha idade, para não precisar mais correr e poder cuidar das minhas rosas!

•

Visitei em seu ateliê uma famosa artista plástica de quase noventa anos que naquele momento pintava telas de uns vermelhos palpitantes.

E eu lhe disse:

— Que maravilha. Seus quadros são uma pulsação de vida, eles celebram a vida.

Ela respondeu junto do meu ouvido, brilho nos olhos:

— Eu os crio para mim mesma, para me divertir.

Seu rosto enrugado e seu corpo já encurvado emanavam uma alegria de viver que me causou a mais confessável das invejas. Por um instante desejei ter chegado, enfim, ao mesmo patamar — onde muitas coisas pelas quais hoje luto e sofro fossem uma celebração.

Saí dali pensando, por que não se podem celebrar vida, pessoas, sonhos, até perdas, em qualquer idade? Por que temos de nos encolher, morrendo antes da hora?

Junto dessa mulher muito velha, ninguém (só um imbecil) se lembraria de procurar sinais do tempo que havia passado: a gente vibrava com a fogueira acesa do seu talento e da sua arte.

(Não é preciso ser uma grande artista para que rugas e corpo encurvado não tenham importância essencial: o afeto, o interesse, a curiosidade, estar aberto para os outros são o maior talento.)

•

Quando anunciei que estava construindo uma casinha na montanha, o comentário mais comum, e desanimador, foi:
— Na sua idade?
E me olhavam como se eu dissesse que estava tendo aulas de balé ou aprendendo a voar no trapézio.
— Quase todo mundo a essa altura quer vender suas casas da montanha, da praia — era o argumento geral. — Você vai fazer o contrário?
O comentário mais engraçado foi um vagamente contrariado:
— Ah bom, mas é porque você tem espírito jovem!
Era para ser um elogio, mas me deixou desconfortável, como quando dizem "no meu tempo", referindo-se inevitavelmente à juventude. Por que ser jovem de espírito seria melhor do que ter um espírito maduro, e por que o tempo de agora não pode ser nosso tempo?
Não sei qual a vantagem de ter alma de trinta anos aos setenta. Por que não ter uma alma de setenta aos setenta, mantendo vivos os interesses, e multiplicados os afetos? Embora o corpo já não tenha a antiga agilidade, nem os velhos desejos e impulsos, podemos inventar mais tempo para cuidar de nós, para escutar o que afinal queremos, e até para cultivar as nossas rosas.

•

Embora a gente queira ser moderno, e com recursos da moderna medicina possamos viver muito mais com melhor qualidade de vida, frequentemente se pensa que qualidade de vida significa uma espécie de embalsamamento em algum ponto da mocidade. Predomina a ideia de que a velhice é uma sentença da qual se deve fugir a qualquer custo — até mesmo nos mutilando ou escondendo, feito mulheres cujo rosto parece uma máscara de cera, onde se movem apenas pálpebras e olhos, e a boca o suficiente para falar e comer. Olhos apequenados ou desiguais sobre enormes bochechas sem ruga alguma.

O que enxergamos nos espelhos cegos, em lugar de uma verdade plenamente aceitável: esse, essa, sou eu agora, não há vinte anos, há trinta? O que nos leva a não ver o nariz que destoa, a sobrancelha repuxada para o alto, a face redonda demais, a expressão quase congelada?

(Que médico impiedoso não nos avisa de que está na hora de parar, ou, se nos previne, por que saímos à procura de outro num ímpeto autodestrutivo do qual não temos noção?)

Viramos máscaras, e as pessoas indagam, quem é, quem era, onde se meteu aquela que um dia ela foi?

•

Quando não se conheciam os recursos fáceis e abundantes de agora, de preenchimentos, plásticas e outros, começava-se a discutir o valor dos tratamentos hormonais, e sugeriram a minha mãe, então com setenta anos e ainda muito ativa, que tentasse.

Ela, com o bom senso que em muitas coisas a caracterizava, olhou um pouco surpresa, refletiu e respondeu com segurança:

— Mas eu não quero ser jovem, quero ser uma mulher normal de setenta anos.

Para ela, "normal" era ser saudável dentro do possível, ativa dentro do possível, bonita nos padrões dessa fase da vida, mais tranquila do que há trinta anos, menos onerada de regras e compromissos, mais aberta à vida e aos outros, podendo apreciar coisas que, aos trinta, aos quarenta, não tinha tempo nem maturidade suficientes para sequer perceber.

•

Viver é sentir a transformação do encanto esplêndido da juventude na potente força da maturidade, e depois na beleza peculiar da velhice.

— Velho pode ser bonito? — perguntou uma das crianças.
— Você me acha muito feia?
— Não, eu te acho uma velha bonita.
E nós duas caímos na risada.

Casualmente a televisão mostrava uma famosa atriz na velhice, e tentei explicar que havia muitos tipos de beleza: a de uma criança, a de uma pessoa jovem, a de alguém maduro, e a de alguém velho, com os traços antigos transformados nisso que é uma nova beleza.

A menina e eu concordamos, achando um pouco de graça naquela filosofia. Mas às vezes temos essas conversas muito sérias.

Então sua irmã gêmea interveio.

— Mas você não é velha!

Eu provoquei:

— Meio velha, né?

As duas sacudiram a cabeça com aquela ênfase linda do amor:

— Não é velha não, nem um pouquinho.
— E que mal tem ser velha?

Refletiram um pouco, a mais espontânea resolveu:

— Velho fica mais perto de morrer.

— Nem sempre — disse a outra. (Havia poucos meses elas tinham perdido um coleguinha num acidente.)

Ficamos as três caladas, absortas em nossas inúteis reflexões.

●

Explorar o passado não precisa ser uma jornada de nostalgia. Pode ser também de reinvenção. Pois quem recorda não é mais quem vivenciou tudo aquilo. O real se mescla de tal maneira ao sonhado que não se desgrudam mais.

Seria bom estar atento, estar aberto, atravessar a porta, pular o muro, correr pelo caminho mesmo que as pernas já não estejam tão ágeis. Pode-se andar devagar. Nunca se arrastar, pois a alma não se arrasta: ela, diferente do nosso corpo, voa. E nos puxa para todas as transições de todas as fases em que, em vez de só perder, acumulamos quem sabe até mesmo alegria.

●

A alegria é essencial.

Como as fomes que nos movem, escrevi certa vez: fome de felicidade, por que não? Por que essa palavra ficou tão barateada, ridicularizada, mas você acredita em felicidade?, me perguntam.

Claro que sim: é ter afetos e projetos.

— Que projetos a esta altura da vida? — me perguntou alguém indignado numa palestra, e não era muito velho nem parecia doente

— Ora — respondi, sabendo que talvez estivesse sendo cruel —, se não temos projetos, pode ser hora de rever nosso conceito de projetos.

Pois eles não precisam ser gigantescos, nem esplêndidos, aliás a maioria das pessoas vive bem com projetos pequenos: estudar um idioma, visitar um irmão, jantar com um amigo, caminhar apreciando a paisagem ou as pessoas, ou até as casas... comprar uma flor, experimentar uma comida diferente... tudo são projetos. Ser mais gentil com as pessoas, por exemplo, é um ótimo projeto; abraçar mais carinhosamente o parceiro, ou um filho.

Quanto aos afetos, se ao nosso redor existe apenas um deserto, possivelmente nós mesmos o criamos.

Presenças amorosas a gente procura ou nos encontram. Ainda que os afetos perdidos sejam insubstituíveis, existe espaço na alma para novos acolhimentos, desde que a gente queira. Ou possa, me diz alguém, pois algumas pessoas são, por educação e bagagem psíquica, irremediavelmente estreitas e secas.

•

— Não tenho mais amigos nem parentes — me disse uma senhora magoada, em tom quase hostil, como se a culpa fosse minha. — Todos já morreram. Estou velha demais, viver muito só me deixou sozinha.

Se ainda tivermos força, podemos curtir pessoas cuidando delas em enfermarias ou casas geriátricas, não precisamos trocar suas fraldas, mas podemos conversar, levar um bolo, uma flor, distrair de alguma maneira. Compor laços, tão importantes para nós quanto para elas.

Podemos alegrar crianças em hospitais. Podemos bater na porta do vizinho sob um pretexto bobo e iniciar uma amizade.

Podemos telefonar para aquele amigo com quem brigamos séculos atrás, e quem sabe teremos, os dois, uma revelação feliz.

Não precisamos ser ricos, magros, belos, ágeis, viajar a Paris, conhecer as ilhas gregas e o mais novo restaurante chique da cidade para estar bem. Em nenhum momento da vida projetos incríveis significam incríveis alegrias. Mas a cada momento a gente pode se transfigurar.

Uma coisa não podemos perder, e se perdemos vamos recuperar, e se nunca tivemos é preciso aprender: o humor, sem o qual tudo acaba com cheiro de naftalina em armários longamente fechados.

(Me perdoem os que acham que me repito: eu sei que já disse, e escrevi, muitas dessas coisas. Mas eu as retomo aqui, porque não me cansei delas — e porque a cada dia me parecem vivas, e reais.)

•

(E os dourados sonhos?
E a sagrada inquietação?
E as dúvidas tão excitantes, tudo isso que poderia nos salvar do mofo na alma e da veneziana baixada sobre nosso olhar?)

•

— E o sentido da vida? — cobrou alguém. — Você ainda não falou no sentido da vida!

Cada um tem de inventar o seu com seus talentos e sua própria inevitável incompetência.

E encontrar tempo para isso — embora essa invenção se realize quase sempre no inconsciente —, entre a hora de pagar a conta, pegar o ônibus, escutar o filho, entender o drama, cumprir os prazos e as promessas, e abafar seu íntimo desejo ou desespero.

Quem sabe até dançar de alegria.

•

De repente chegou o dia dos meus setenta anos.

Fiquei entre surpresa e divertida, setenta, eu? Mas tudo parece ter sido ontem! No século em que a maioria quer ter vinte anos (trinta a gente ainda aguenta), eu estava fazendo setenta. Pior: duvidando disso, pois ainda escutava em mim as risadas da menina que queria correr nas lajes do pátio quando chovia, que pescava lambaris com o pai no laguinho, que chorava em filme do Gordo e o Magro, quando a mãe a levava à matinê. (Eu chorava alto com pena dos dois, a mãe ficava furiosa.)

A menina que levava castigo na escola porque ria fora de hora, porque se distraía olhando o céu e nuvens pela janela em lugar de prestar atenção, porque devagarinho empurrava o estojo de lápis até a beira da mesa, e deixava cair com estrondo sabendo que os meninos, mais que as meninas, se botariam de quatro catando lápis, canetas, borracha — as tediosas regras de ordem e quietude seriam rompidas mais uma vez.

Fazendo a toda hora perguntas loucas, ela aborrecia os professores e divertia a turma: apenas porque não queria ser diferente, queria ser amada, queria ser natural, não queria que soubessem que ela, doze anos, além de histórias em quadrinhos e novelinhas açucaradas, lia teatro grego — sem entender — e achava emocionante.

(E até do futuro namorado, aos quinze anos, esconderia isso.)

•

O meu aniversário: primeiro pensei numa grande celebração, eu que sou avessa a badalações e gosto de grupos bem pequenos. Mas pensei, setenta vale a pena! Afinal já é bastante tempo! Logo me dei conta de que hoje setenta é quase banal, muita gente com oitenta ainda está ativo e presente.

Decidi apenas reunir filhos e amigos mais chegados (tarefa difícil, escolher), e deixar aquela festona para outra década.

•

A vida é uma casa que construímos com as próprias mãos, criando calos, esfolando joelhos, respirando poeira. Levantamos alicerces, paredes, aberturas e telhado. Podem ser janelas amplas pra enxergar o mundo, ou estreitas para nos isolarmos dele. Pode haver jardins, pátio, por pequenos que sejam, com flores, com balanços, para a alegria; ou só com lajes frias, para melancolia.

Vendavais e terremotos abalam qualquer estrutura, mas ainda estaremos nela, e ainda poderemos consertar o que se desarrumou.

Mas se nos submetemos a padrões muito rígidos, se nos considerarmos injustiçados, vamos acabar sendo aqueles chatos, cobradores, queixosos, que nós mesmos tanto reprovamos. É natural que o isolamento — por nós mesmos urdido — se instale, e fiquemos insuportáveis até para quem nos ama.

Teremos construído caprichosamente uma solidão.

•

Comentei quantas pessoas de bengala andavam na praça de São Marco, em Veneza.

o tempo é um rio que corre

— Aqui tem muita gente com problema de locomoção?

(Nesse tempo eu lutava com a dificuldade de tornar a bengala minha eventual parceira em caminhadas mais longas.)

Alguém iluminou minha preconceituosa ignorância:

— Não é que aqui haja mais pessoas necessitadas de bengala. É que elas são aceitas com naturalidade, há estruturas que as amparam, que lhes dão acesso a museus, restaurantes, boas calçadas, ascensores, enfim, respeito e naturalidade. A maneira como se encara a velhice é uma das coisas positivas por aqui.

E pode ser uma visão positiva dentro de cada um de nós, não importa o continente, o país: eu sou meu território em qualquer parte.

●

Acossadas pelo medo e pela inquietação, nunca parando para refletir e raramente para respirar, algumas pessoas parecem tombar subitamente da juventude impensada para a velhice ressentida. Foram apanhadas desprevenidas. Estavam desatentas ao milagre da existência.

Toda essa realidade, que inclui nascimento e velhice, crianças doces e caras murchas, corpos sensuais ou mentes confusas, escorre como um rio no qual flutuamos, nadamos, resistimos ou nos deixamos levar — enquanto ele, estranho e belo, permanece em seu fluir, e nos leva até onde talvez apenas comece o novo roteiro de uma nova peça de teatro.

●

Uma frase inesquecível sobre velhice e envelhecer, porque realista e bem-humorada, foi:

— Velhice? Eu acho ótima, até porque a alternativa seria a morte!

Foi quem sabe um blefe elegante de uma atriz ainda com muitos traços de grande beleza — no qual nem ela mesma acreditava. Uma reação bem-humorada e de grande efeito.

Na verdade a gente não acha ótimo. A gente sabe que é natural, e enfrenta com alguma elegância, e bom humor. "Às vezes o humor é até mais importante do que o amor", me disse um velho e sábio amigo, quando eu ainda não acreditava nisso.

Com a chegada do envelhecimento, essa é uma das possibilidades:

— Então o que tenho de enfrentar é isso? É inevitável? Faz parte da vida? Vamos em frente, se possível sem dar vexame.

●

(Envelhecer também devia ser refinar-se.)

●

Tomei como meu modelo para quando esse tempo chegasse uma velha amiga que se tornou uma espécie de mãe pelo afeto. Cuidava de mim, preocupava-se comigo, e ainda hoje, esteja onde estiver, creio que ela sabe de mim, me cuida. Se pudesse me aconselharia como costumava, e haveríamos de dar boas risadas juntas.

Essa velha dama, que, como minha mãe, morreu aos noventa anos, detestaria ser lembrada com tristeza. Uma de suas marcas era o bom humor, que nessa idade, mais do que em todas, é essencial: divertidos eram seus olhos muito azuis revelando o interesse múltiplo e alerta, aberto o coração.

A gente não a visitava para lhe fazer companhia (sua casa abrigava família e muitos amigos), mas porque precisávamos dela, ela nos alimentava com seu interesse, nos animava com sua vitalidade. Lia todos os jornais, entusiasmava-se com novidades, e as que não aprovava lá muito eram comentadas, também, com seu jeito divertido.

Dores, perdas? Havia, e muitas, fases de porta fechada e depressão, mas decidira continuar vivendo — não vegetando. Então envelhecia com naturalidade, um pouco de ironia quanto às limitações, já não caminhava tanto, os cremes já não evitavam as rugas, melhor ter rugas de riso do que cara feito máscara de gesso.

Com ela entendi que a cada fase da vida nós escolhemos algumas coisas, que nem sempre os velhos ficam isolados por terem uma família indiferente, mas porque se tornaram companhias desagradáveis.

A tirania do velho, como a da criança, como a do doente, pode ser cruel, e afasta.

Se estamos num barco, é bom escutar as águas, apreciar as margens, tentar enxergar o porto de chegada: não com ânimo sombrio, mas como quem, em plena viagem, avalia o próximo cais e tenta se abrir para o novo que ali nos aguarda.

— E se for o nada?— argumentam.

— Bom, o nada não incomoda.

(Eu também estava blefando.)

•

Hão de arquear as sobrancelhas, mas eu lhes digo que, se hoje me divirto mais do que aos trinta anos, quando chegar aos oitenta espero achar ainda mais graça de muitas coisas que, décadas atrás, me fariam arrancar os cabelos de desespero.

Se alguém na velhice é realmente só, sem ninguém, nem vizinho, nem conhecido, nem parente, nem mesmo o quitandeiro da esquina com quem falar, me perdoem: a não ser que uma tragédia tenha devastado sua vida sem deixar pedra sobre pedra, possivelmente faltou cultivar interesses e afetos, em vez de esperar por eles como obrigação alheia.

A vida não nos deve nada.

•

Tanto se fala na juventude perdida. Sinto muito, nós não a perdemos: ela passou, como passam a infância, a juventude, a maturidade — e tudo foi como tudo deve ser.

•

Por inseguros e ambíguos, e dominados pelos preceitos da nossa cultura, somos contraditórios até na maneira de lidar com nossos velhos. Ora os pressionamos: saia de casa, vá se divertir, vá dançar, vá transar, corra, ande, viaje! Quando ele apenas quer finalmente fazer o que deseja, e pode ser dançar, andar, viajar, ou ficar quieto curtindo seu lugar, seus amigos, sua casa, seu jardim, sua janela, seu sossego. Estar quieto não é sempre depressão: pode ser, como na infância, aquela contemplação prazerosa que na agitação atual dificilmente se entende.

Mas não damos muito sossego aos velhos: queremos que dancem ou que fiquem quietos, tudo "para o seu bem".

Ou, por outro lado, nós os cercamos de cuidados exagerados como algumas mães nervosas fazem com filhos pequenos: não saia, não ande, não fique sozinho, não coma isso, não beba aquilo, viajar nem pensar, dirigir carro nunca mais, fique imóvel, não viva.

Se nossa vida não tiver sido a construção de nossa própria vontade, para um lado ou outro, vamos sucumbir e nunca mais saberemos quem fomos, quem somos, fora da vontade desses que agora querem o nosso bem.

•

Não há garantia para nada, então, assim como ser bom, honesto, decente, trabalhar direito, seguir os preceitos todos não garante que sejamos felizes, recompensados, bem-sucedidos e saudáveis; amadurecer, envelhecer com o possível otimismo e cordialidade não garante nada.

Também em nosso refúgio da casa, da família, do trabalho, da rotina e dos afetos bons, o mal é possível.

É até provável.

O bem, a beleza, o afeto, a relativa serenidade são privilégio de deuses? São um bem de todos, em doses que não podemos determinar, sem data marcada, sem bilhete de entrada carimbado.

Algo nos fez perder a inocência: doença, morte, desemprego, traição, as primeiras rugas e manchas, a indiferença do parceiro, não importa. Podem ser apenas as cruéis notícias dos males do grande mundo, que saltam em nossos braços assim que abrimos o jornal ou ligamos a televisão ou o computador.

Mas uma coisa a gente pode construir de positivo, em qualquer fase da vida. Estar em Paris ou ter uma vasta conta bancária também não afiança coisa nenhuma.

(Nem por isso a gente tem permissão de desistir.)

●

(Sopra, sopra o vento que encrespa as águas e impele o barco do tempo que é sonho, do tempo que precisa ser atravessado de olhos abertos para nada se desperdiçar disso que, afinal, vamos nos tornando.)

●

Todas as naturais transformações vêm acompanhadas de novas qualidades que antes não tínhamos. Na velhice, a capacidade de amar melhor, por exemplo: filhos criados, amizades consolidadas, velhos casamentos sendo uma parceria tranquila e tempo disponível são grandes privilégios. Podemos amar com mais tranquilidade, pois não precisamos educar netos, apenas curtir, querer bem, deixar que gostem de nossa companhia, não sendo os chatos cobradores, exigentes, a reclamar que as visitas são poucas, que merecíamos mais atenção.

Temos tempo para curtir coisas que passavam despercebidas na correria anterior, como uma bela paisagem, um bom filme, um bom livro, uma boa conversa (valem até um filme medíocre, um livro ruim, uma paisagem bem banal), memórias felizes, prova de que nada de verdade perdemos, pois continuam aqui, porque ficaram em nós se fomos atentos e não fúteis demais.

●

Sou pouco simpática com essa distorção da realidade devido ao preconceito: envelhecer é feio, é degradante, por isso vamos ser eternamente jovens, seguindo aos pulinhos até o fim, fantasiados de Peter Pan. Disfarçamos realidades naturais porque as vemos como algo inadmissível, ignorando que é normal, e digno, e bom.

Queremos as miragens, a infância, a juventude, as riquezas, as vantagens, figuras de névoa que, se as quisermos tocar, desaparecem, se as segurarmos com força em dedos aflitos, esfarelam-se e nos deixam vazios.

•

Encaramos o tempo como um conjunto de gavetas compartimentadas nas quais somos jovens, maduros ou velhos — porém só em uma delas, a da juventude, com direito a alegrias e realizações. Pois a possibilidade de ter saúde, planos e ternura até os noventa anos é real, dentro das limitações de cada período.

Quando não pudermos mais realizar negócios, viajar a países distantes ou dar caminhadas, poderemos ainda ler, ouvir música, olhar a natureza; exercer afetos, agregar pessoas, observar a humanidade que nos cerca, eventualmente lhe dar abrigo e colo. Para isso não é necessário ser jovem, belo (significando carnes firmes e pele de seda) ou ágil, mas ainda *lúcido*. Todos queremos viver muito, esquecendo que viver muito é inevitavelmente envelhecer. E que envelhecer não é doença, não é deterioração: é apenas mais uma inevitável fase.

Que seja boa.

Que seja vivida, não suportada: isso, sim, depende de nós.

3 | *A embocadura do rio*

A vida é um passeio
(que não planejamos)
num rio de enseadas calmas,
escuras cavernas,
vertigens fatais.

Somos náufrago ou timoneiro
nessas águas que tudo levam:
estrelas, escolhas,
destroços e abraços.

Um dia vamos descobrir
nosso destino:
que não sejam só cinzas
ou ossos,
mas um oceano, uma praia
— um regaço.

Alguém tinha escrito em letras enormes — foi antes das pichações — num muro branco e imaculado perto de nossa casa: FIM DA NOITE.

Passamos, e ficamos comentando: quem teria escrito aquilo, que ontem não estava ali?

Arrisquei: um bêbado voltando para casa depois de uma noitada, atordoado e infeliz, quem sabe ao encontro da mulher que iria reclamar, os filhos com olhar de desgosto, ou uma casa vazia.

O outro disse: quem sabe uma prostituta aliviada porque volta a ser humana, ela mesma, mulher, mocinha, quase menina, e pode ir para sua casa, seu quartinho, onde a espera um filho pequeno que ela sustenta assim, ou o cafetão brutal que ainda vai lhe dar umas bofetadas na hora de pegar o dinheiro?

Ou, concluímos, apenas um menino num desses grupos que volta para casa depois de algumas horas de forçadas alegrias. (Droga ainda era coisa remota.)

Ou apenas um morador de rua, que se alegra um pouco com o fim da tarefa e a chegada do dia que lhe trará a companhia dos transeuntes, dos motoristas, dos cachorros vadios, da meninada indo para a escola?

Alguém arriscou:

— Decerto quem escreveu isso estava tão infeliz que para ele, ou ela, a vida era a noite, e morrer acabaria sendo o dia?

o tempo é um rio que corre

A gente não tinha como descobrir. A frase ecoava um misto de alívio e enorme melancolia, e falamos nela ainda alguns dias. Fim da noite, da viagem, da insônia, do horror, ou da alegria, e da ilusão? Como na vida, fim do trajeto, agora novo cais, ou um novo mar ali onde todos os rios deságuam?

•

Se as águas correm, em algum lugar hão de chegar: a foz, a embocadura, dissolverem-se no grande mar. Nós os peixes, galhos e folhas caídos das margens, nós o barco, os marinheiros, passageiros clandestinos sem bagagem, ou mercadoria inconsciente e passiva.

Se imaginarmos que o nebuloso mar chamado morte pode não ser o fim de tudo, e que esconder o rosto na dobra do braço não adianta nada, em lugar de nos deixarmos levar com desespero silencioso podemos ter mais consciência da construção disso que somos. E escrever partes desse roteiro, com decisões, com coragem, com medo e terror, acertos e tantos enganos — tudo faz parte.

Inventamos toda sorte de distrações, ou nos escondemos amedrontados embaixo das cobertas. Nossa vida mais real é o tablet. Nossa única morte é a do game. Nossas alegrias correm o risco de serem apenas virtuais, o amor virtual, milhares de amigos virtuais, a maioria ilusões como bonecos nas prateleiras. Quem quer pensar em destino, decisões, compromissos, até mesmo poder e glórias reais que exigem trabalho, e perdas, e dores?

Ninguém quer arriscar. Ninguém quer morrer. Eu não quero morrer.

Mas, assim como a cada hora inventamos (em parte) o dia que começa e transcorre, também podemos (em parte) criar a noite que chega.

— Por que você escreve "em parte"? — perguntaram.

— Porque nada é perfeito — respondi.

•

Quando eu menos esperava, alguém disse ao meu lado:

— Por que você não escreve sobre a morte?

— Mas já escrevi tanto sobre ela — respondi —, alguns até reclamam que nela eu falo demais. Tem sido um de meus temas, e personagem minha.

Em um de meus romances, *O quarto fechado*, a morte é personagem: uma mulher coberta de véus, que conduz o adolescente suicida nos primeiros passos em sua nova vida, como numa dança, num palco. Eu andava pensando em mudar de tema, sair da política, da educação, da ética, e chamar para dentro deste livro essa velha senhora que palita os dentes enquanto nos espreita e, na sombra, prepara o bote.

Não tenho com relação à velha dama um pensamento mórbido, não a espero deitando na cama e cruzando as mãos no peito, não curto essa que já me tirou o tapete de debaixo dos pés.

•

(O que ficará de nós nos espelhos atemporais quando terminar o trabalho das agulhas tecendo os fios sutis, fazendo os cortes brutais, esse, essa — isso que dança na sombra e nos aguarda?)

•

o tempo é um rio que corre

No começo da minha história pessoal, "morte" pertencia à linguagem dos adultos. Ficavam com ar sério ou triste, mas ninguém me explicava nada. Possivelmente, se eu indagasse, minha mãe diria, como de costume:

— Não é assunto pra criança.

(As coisas interessantes em geral não eram.)

Mas aos poucos, como no episódio do "agora" narrado nas primeiras páginas, fui percebendo que as coisas, os bichos, os momentos acabavam (ainda não imaginava que as pessoas também se incluíssem nesse acontecimento).

Na minha mais remota memória está a pomba-rola que encontrei num canto do pátio naquela manhã gelada enquanto meu pai pegava o carro na garagem para me levar ao jardim de infância. Estava imóvel sobre a laje, e quando a peguei sua cabecinha descaiu, não se movia. Coloquei-a junto do peito embaixo do casaco, ela iria se aquecer e se reanimar, e voar de novo. Eu lhe devolveria a sua maravilhosa liberdade.

Mas o bichinho não se mexia. Meu pai desceu do carro e veio ver o que havia. Entreabri o casaco e mostrei meu tesouro. Ele a pegou cuidadosamente nas grandes mãos firmes, que me davam toda a segurança deste mundo:

— Filha, ela não vai mais voar.

Mas eu já amava demais aquele ser agora tão meu.

— Nunca mais? (Eu não fazia muita ideia do que aquilo significava, mas já escutara a ameaça: "Se você não se comportar, não vai ganhar brinquedos, nunca mais.")

— Nunca mais. Morreu. Vamos fazer assim: você deixa aqui na garagem, a mamãe bota numa caixinha, na volta da escola a gente enterra no jardim.

Vendo meus olhos cheios de lágrimas, ele tentou me consolar:

— Você mesma escolhe um lugar bem bonito para ela ficar.

Mas eu não queria. Não aceitava, como um pai não aceita a doença fatal do filho. A pomba era minha filhinha. Não lembro se a enterramos, se fui para a escola, se espernei, se levei castigo por gritar e chorar tanto, isso eu esqueci. Mas lembro dela, tão pequena, para sempre ida, a penugem macia e o coração desaparecido, e eu impotente apesar de toda a minha ternura e de minha feroz precoce maternidade.

•

Vão dizer que invento histórias para me consolar e confortar os leitores.

Não creiam nisso.

(Dizem coisas demais a meu respeito. A verdade em geral é bem mais simples.)

Tudo que pareço inventar eu vivi, senti, seja em mim mesma, seja nos personagens criados pela minha fantasia ou nascidos do meu inconsciente — seja na observação de tantos anos das pessoas e das coisas, humanas, sociais, culturais. Estão também em todos os livros lidos, os filmes assistidos, as reportagens vistas, e nessas entrelinhas singulares mas reais de quem contempla mais do que corre ou se agita, por natureza e profissão.

Assim também minha visão do tempo, que nem é divertida nem é simplória ou fácil, mas que procuro aproximar da realidade. Embora eu diga seguidamente que a realidade não existe: cada um de nós inventa a sua.

Também quanto ao tempo que rói e corrói e precisa ser reinstaurado, quem conta contos pode sobrepor muitas camadas de imaginário e real, pois sabe que os limites são tênues, e poderosa a liberdade com todos os seus perigos.

Inclusive a poderosa, onipotente, indesejável e inevitável senhora Morte, nossa desde sempre enamorada, que não queremos ver, nem ouvir, nem aceitar: ela é que vai ter de nos pegar nos braços. Seremos submetidos, seremos domados, seremos absorvidos.

(Não escrevi *destruídos*.)

•

A cada dia, mesmo sem saber, e sem querer, estamos nos criando. Ninguém pode nos dizer que será fácil. O fácil pode ser desinteressante, e merecemos ao menos alguma vez fazer, querer, ser, o interessante, o audacioso, apesar dessa incrível sensação de fragilidade que nos acompanha.

Foi meu pai quem plantou esse álamo
no meu jardim.
Podou seus galhos,
e desde então seus dedos se multiplicaram,
sua voz se perpetuou em folhas
depois de cada inverno.

E quando o vento perpassa
os altos ramos do álamo generoso,
o tempo se dá por vencido,
a dor recolhe suas asas:
meu pai conversa comigo,
andando pela calçada
entre o meu coração e a sua morte.

A ideia de que meu pai acima de tudo amado pudesse um dia não estar mais conosco foi o meu primeiro drama pessoal, e começou muito antes de ser consumado. O vislumbre de que a finitude não atingia só um passarinho morto, uma boneca estragada ou um livro perdido, mas também as pessoas que eu amava e me eram essenciais.

Eu devia ter sete anos, e num comentário bem trivial de meu pai descobri que ele era cardíaco, e a explicação dada foi que o coração era uma máquina que a qualquer momento poderia parar.

(O dele também.)

O dele especialmente, porque seu coração era doente. A bomba era frágil, não se podia confiar. Isso nunca me foi bem explicado, ninguém avaliou o estrago que essa afirmação causou no meu universo infantil até ali dominado pelo lúdico, pelo fantasioso. Aquilo era um recado de realidade que eu não estava preparada para digerir: pedra inarredável na minha garganta.

(Eu não podia mais confiar na segurança que meu pai representava: ele seria capaz de me deixar?)

Lembro-me de acordar com verdadeiro terror de madrugada, meu pai tinha morrido? Saía da cama, do quarto, ajoelhava no corredor, ouvido encostado na porta do quarto de meus pais, querendo escutar a respiração dele.

●

o tempo é um rio que corre

Décadas depois, como um filme surreal, o pesadelo era fato.

Uma viagem delirante na noite, na chuva, no frio, e finalmente no saguão da faculdade onde era diretor, perto da meia-noite, o esquife, o caixão: meu pai deitado imóvel, branco, no mesmo terno com que eu tantas vezes o vira. Para meu estupor, incredulidade e sofrimento, ele não levantou uma pálpebra, não veio como sempre me confortar: ele não me dava nenhuma importância.

Para meu pai eu já não existia; para mim, ele se agigantava.

Embora sabendo de sua fragilidade, eu não estava preparada. Nunca estamos preparados. Nenhum de nós imaginava nossa família sem a presença dele. Atualmente se diria que estava no auge da maturidade, da capacidade intelectual, da sabedoria e da generosidade, mas o coração estava doente, e ele sabia que ia morrer em breve.

●

Nada me consolava. Porque ninguém podia me dar o pai que eu havia perdido, por algum tempo me isolei das pessoas: apenas cumpria obrigações.

Só algumas semanas depois, começando a me recuperar, lembrei que numa das minhas últimas visitas ele me levou a caminhar lentamente pelo caminho de lajes no jardim onde eu tinha crescido, onde conhecia cada canto e canteiro e pedra e arbusto. Agora ele andava devagar, e apoiava-se em meu braço — ele que sempre tinha me conduzido.

E sem nenhuma lamentação ou dramaticidade, nem mesmo solenidade, mas com a simplicidade dos verdadeiros grandes momentos, e dos grandes homens, me disse que sabia que seu tempo agora era breve. (Que eu não o interrompesse!) Que tinha tido uma vida boa, e plena. Que, quando se fosse, não queria escândalos em seu velório ou enterro, mas que sofrêssemos a tristeza natural e tocássemos nossas vidas pensando nele com boas lembranças, as alegres, as amorosas.

Eu o respeitava demais, e àquele momento dele, para lhe pedir que não tocasse no assunto: para ele, para nós, era importante.

E ele disse:

— Lembre, filha, que Sócrates, condenado a beber veneno pelas autoridades de Atenas, rodeado de amigos e discípulos que choravam e se lamentavam, disse mais ou menos isso: "Se morrer for um sono sem sonho, que coisa boa. Mas se morrer for reencontrar pessoas amadas que foram antes de mim, que coisa boa também. Então, não se desesperem assim."

Nada disso diminuiu a minha dor, mas saber que meu pai pensava assim passou a ser uma forma de consolo.

●

Se perder os pais é doloroso, se a consciência da súbita orfandade em qualquer momento da vida é difícil, uma criança que se vai, sugada pelo funil do grande enigma, é a dor maior. É o horror, a escuridão.

Eu nunca tinha visto uma criancinha morta, mas não pude me esquivar de prestar minha homenagem àquela menininha que tinha sofrido muito, deixando uma família dilacerada.

Todos chorávamos, por ela, por nós, pelas nossas crianças de repente tão vulneráveis, nós tão vulneráveis.

o tempo é um rio que corre

Lembrei a última vez em que a vi, já consumida pela doença. Me olhou com seus grandes olhos escuros, sérios demais para a sua idade. Pelo menos na minha imaginação sempre alerta, ela me olhava como a dizer: "Eu sei que logo vou morrer, você também sabe, mas a gente não fala nisso."

Então, para quebrar aquele estranho clima, perguntei, sabendo que ela tinha lido meus livros infantis, sobre uma bruxa boa que se disfarça de avó:

— Você quer dar uma volta na minha vassoura de bruxa?

Ela não pestanejou, não sorriu, apenas continuou me olhando.

E disse num tom muito grave:

— Eu quero.

Fiquei lhe devendo esse passeio.

Seguidamente lembro aquela última conversa com uma menininha tão doente, mas que logo depois desse breve diálogo correu pelo gramado e tentou fazer estrelinhas: naquele instante era apenas uma menina divertida, leve, luminosa — que a morte logo haveria de recolher.

•

Essa ave pousada em nosso ombro, pálpebras baixadas para que seu olhar não nos amedronte, está dizendo: "Brinquem, dancem, riam, enquanto minha hora não chega. Paguem as contas! Transem ou bebam ou chorem, ou simplesmente fiquem encolhidos à minha espera, fazendo que não, que não, com a cabeça, como crianças negando que eu existo."

Está ali, está alerta.

Mas a gente não quer nem saber quando ela vai bater as asas, sair do seu sossego e recolher quem amamos. Ou nos dar o sinal: sua vez, sua hora, seu fim.

Talvez de outro modo não conseguíssemos nem respirar.

●

Ninguém quer ir, ninguém quer partir: mesmo gente muito doente ou muito velha apega-se aos fiapos de vida. Em clínicas geriátricas, vi boquinhas murchas sorvendo avidamente o mingau ou sopa que lhes era oferecida numa colher, quando parecia não sobrar quase nada de vida naquele corpo, e a alma se apagara na memória: somos apegados a este caminho, este trajeto, esta paisagem familiar ainda que efêmera.

Mas em certo momento não caberá a nós decidir: apenas iremos. Com medo, com dor, com indiferença, com alguma tranquilidade, quem sabe curiosidade: o que existe e quem está na outra margem?

●

(O tempo são também as areias daquela ampulheta quebrada rindo de nós.)

●

Quantas vezes, num convívio longo ou breve, nos demos conta de que não era eterno? Quantas vezes na lida diária sentimos que era passageiro? Quantas vezes pensamos que atrás dessa superfície alguma coisa mais espera, imóvel, paciente

— concreta e real ainda que apenas névoa? Pouco disponíveis estamos para o inquietante. Mas ele está lá, o avesso de tudo, como passos no corredor embora não haja ninguém, um tumulto sutil no ângulo da sala vazia indicando que acima das frivolidades paira um segredo sem tamanho, que torna tudo precioso e singular, e terrível.

Transitamos por tudo isso como crianças inconscientes, com uma leviandade invejável e alegre, até que essa realidade nos atinge, nos enfia a faca no peito, e nos derruba com aquele soco de uma mão poderosa na nuca de uma criança que não compreende nada.

Cada um de nós deve inventar o seu próprio jeito de sobreviver: para alguns isso será deixar as pálpebras bem fechadas, apertar os olhos com os punhos e andar feito cegos como a gente brincava em criança.

(Sempre acabávamos batendo em algum móvel: lágrimas e hematomas.)

Quando foi bom o amor,
os mortos pedem
memórias doces
que não os perturbem,
e que a gente viva
sem muito desgosto:
mais nada.

(Pedem silêncio
e que os deixemos
em paz.)

Os mortos
precisam de mais espaço
do que em vida:
nesse seu novo posto,
não devem olhar
para trás.

(Os mortos querem licença
para morrer mais.)

Os que amei e morreram vivem na medida das minhas lembranças: como se eu fosse um espelho vivo — não feito alucinação ou espíritos invocados, mas como realidades. O poderoso tempo não é onipotente. Nada do que houve se destruiu, tudo está em mim para que eu preserve o que quiser preservar.

(E quando nem eu estiver mais aqui, tudo o que eu guardava intacto vai desaparecer também?)

Posso acreditar em quaisquer teorias. Posso escolher a que me conforta mais. Por exemplo, quem morreu se reintegrou na natureza; preservou-se nos seus genes, em nossos filhos e netos; faz parte da energia maior; enveredou por outra dimensão; é uma alma.

Não importa em que acredito.

Importa que eu acredite mais na vida que na morte, mais na presença que na ausência: é o melhor que posso fazer por esses que, sem os perder, perdi.

•

Essa singular companheira nossa, a memória, nos ajuda a suportar as despedidas: ainda sou a menina assombrada pelas curiosidades e inquietações de décadas atrás, meu pai ainda dá corda no relógio sobre a lareira, minha mãe ainda se enfeita para uma festa diante do seu toucador com o espelho em forma de meia-lua brotando do chão, enquanto eu, maravilhada, encolhida na cama de casal, observava.

— Mãe, você vai ser a mais bonita da festa.
— Mãe, você é a mãe mais bonita da escola.
— Mãe, quando eu crescer quero ser como você.

Nessas horas ela era só alegria, só beleza, nunca se zangava nem perdia a paciência, e eu ficava ali imóvel, com medo até de respirar para não quebrar o encantamento.

Quando o tempo e a doença consumiram sua energia, alegria e beleza, e lhe roubaram a memória, ela continuou em todos os espelhos do mundo com aquela beleza, e aquela alegria: bastava saber olhar.

●

Amadurecer, envelhecer, traz várias coisas boas, mas também significa que mais amigos começaram a morrer.

(Por mais literatura que eu faça sobre o tema, contra isso vou me rebelar, ainda que inutilmente, até o meu último alento.)

●

O meu amigo ia morrer.

Todos sabíamos disso, ele tinha sabido antes de nós e não escondia, tinha mesmo escrito a respeito. Enfrentava sua tragédia pessoal com coragem, com fúria, com desespero, medo e horror. Estava já muito fraco, seu sofrimento físico era indizível. Não queria mais ver ninguém, morria dolorosamente no hospital.

Então alguém me disse que ele queria falar comigo, pedia que lhe telefonasse. Não havia como recusar, assim liguei e a enfermeira lhe passou o telefone. A voz dele era a de sempre, bela, profunda, um pouco mais fraca, nada mais. E ele me perguntou direto, na medida de sua confiança em mim:

— O que você acha que vai acontecer comigo quando eu me libertar deste corpo? — numa óbvia alusão a seu sofrimento físico.

Olhei pela janela de meu pequeno escritório em casa. Chovia forte, o que sempre me dá uma sensação de aconchego e permanência. Respirei fundo, como mentir para alguém tão querido numa hora daquelas? Então falei o que achava. Acabava de ficar viúva pela segunda vez, a Senhora Morte não me era estranha:

— Acho que vai te acontecer o que deve ter acontecido com essas duas pessoas que amei e morreram: num deslumbramento você vai entender todas as coisas, todos os mistérios que nos fazem refletir, e escrever.

Breve silêncio, só se escutava a chuva nas lajes. E ele reagiu com outra pergunta:

— Mas... e se não for assim?

Espontaneamente, instintivamente, respondi:

— Olha, se não for assim, se depois desta vida que é bem difícil a gente encontrar um velho severo com fita métrica dizendo nossos erros mais que os acertos, nós vamos virar dois diabos bem perversos e fazer um monte de maldade nesta terra.

Ele entendeu minha brincadeira séria, e sua reação foi uma risada típica, naquela voz inconfundível. Não havia mais o que dizer. Nos despedimos brevemente. Poucos dias depois ele morreu.

o tempo é um rio que corre

Lembro desse diálogo frequentemente. Tudo o que eu lhe disse foi isso em que acredito: mas como acreditar no insondável? Não sei. Sei que, blefando ou chorando, sendo estoicos ou desesperados, é para lá que vamos. Resta o consolo da sabedoria do velho Sócrates.

Pode não resolver nada, mas nos sentimos menos desamparados.

A medusa no fundo do poço
(onde não sei o que perdi,
mas procuro tanto)
me chama com seu olhar
de nostalgia.

Sobem as águas turvas,
plenas de tudo o que receio
e me seduz.

Só me resta mergulhar:
primeiro as mãos em ponta
cheias de encontro e de adeus,
depois o rosto desmascarado,
o corpo exausto
que se adia.

E por fim,
muito mais calma,
isso que me sobrou de alma.

A morte pode ser o barco atracando em areias macias, ou o rio desaguando num oceano acolhedor. Como ninguém me prova o contrário, gosto de pensar assim.

— Porque te consola — me dizem.

Eu preciso de consolo.

De algum modo ali estarão as explicações, todas as intuições reveladas, instaurada a harmonia, enfim, aquela *Somma luce*: a suprema luz da realidade transcendental que não cabe nas palavras, mas me atinge me penetra me reveste, porque, sem compreender, dou braçadas e luto, tentando manter a cabeça à tona d'água nas horas noturnas.

Isso também sou eu.

Ou eu sou apenas isso.

•

Em lugar de reclamar, podemos dialogar; em vez de nos matar, podemos outra vez tentar a vida e desenrolar a alma; em vez de ressecar podemos animar essa criatura singular que somos, com risos, com gemidos de dor, com sussurros no escuro.

É preciso enfrentar isso que não controlamos, mas que não precisa nos destruir: a vida inevitavelmente fluindo. Pois nós também somos isso.

Como o vento do mar não sabe que não existe mais o mar — e pode trazer rumor de ondas e odor de maresia a desertos onde tudo isso pairou há milhões de anos —, também o passado não sabe que não existe mais a história vivida, se ela foi real, ou se o presente é delírio, se tudo se funde num rio que nos leva para outras águas, que nos aguardam pacientemente como amantes fiéis.

•

Tempo de refletir: as vezes em que fomos egoístas, grosseiros, fúteis, infiéis. As vezes em que não estivemos presentes.
As vezes em que a gente não estava nem aí.
Mas todas as vezes em que a gente fez o melhor que podia naquele momento.
As vezes em que tivemos pena de nós mesmos, em que deixamos que alguém se afastasse ou nos isolamos de quem nos queria bem; o tempo desperdiçado ignorando uma boa oportunidade, e nos boicotamos — o quase imperdoável pecado, tão comum.
(E, mais uma vez, cada hora em que fizemos o melhor que podíamos.)

•

As águas não interrompem seu curso quando dormimos ou comemos, quando amamos ou nos frustramos, quando executamos projetos ou achamos que nossa força acabou. Não param quando comemos o hambúrguer, usamos o computador, tomamos o vinho, choramos no escuro, pensamos em nos matar, pagamos dívidas com mais dívidas, traímos ou somos traídos, ou rimos sem motivo porque nos sentimos bem.

Somos como uma dessas garças de beira d'água, que parecem meditar interminavelmente. De repente mergulha e volta com o bico apontando para um sol que já não cega mais.

Mergulha, mas há de emergir — com os ímpetos de um parto —, numa explosão de claridade.

•

Estarão dispensados os conceitos ferozes e as palavras atônitas.

Todas as lágrimas, as buscas e aflições, os êxtases e as trivialidades todas, o raciocínio cirúrgico e o gesto mais delicado, todas as indagações, estarão dispensados.

Os espaços em branco não precisarão mais ser preenchidos.

Isso que dança no nevoeiro numa nova praia ou num mar sem fim nos dará a bênção do silêncio.

Ou nem haverá silêncio.

Nem uma folha se moverá no bosque de todas as quietudes.

Ou nem haverá quietude.

(Nada será banal.)

Este livro foi composto na tipologia Minion Pro
Regular, em corpo 11,5/15, e impresso em
papel off-white 90g/m² no Sistema Cameron da
Divisão Gráfica da Distribuidora Record.